THE IDOLM@STER MILLION LIVE! MAGAZINE Plus+ VOL. 4

CONTENTS

STAFF

			[한국어판]	
편집장	히지카타 토시요시	촬영	무라카미 쇼고	번역	김정규
조명	코메 맛챠	헤어 메이크업	타케다 사오리	편집	김철식
장정	와타나베 엔		Hitomi Haga	라이츠	임영웅
디자인	와타나베 엔		나가부치 후미에	발행인	박관형
	유가와 아키코			

발행처 ㅁㅅㄴ(MSN publishing)
주소 [08271] 서울시 구로구 경인로20나길 30, A508
웹 http://msnp.kr
메일 mi-sonyeo@naver.com
FAX 0505-320-2033

성 밀리언 여학원

입학안내 속편

소녀들의 성스러운 화원, 성 밀리언 학원이 「밀리시타」에 다시 등장한다. 이번에는 지난 이벤트 「시작의 꽃」에서 보여주지 않았던 소녀들의 일상을 그린다. 데라시네 시라이시 츠무기와 시스터 사쿠라모리 카오리도 추가되면서, 밀리언 학원은 더더욱 떠들썩해진다.

プラチナスターテール
St.Million's Girls' Senior High School
聖ミリオン女学園
～あなたへの花束～

✦ 등장인물

시라이시 츠무기	요코야마 나오
사타케 미나코	에밀리
토코로 메구미	바바 코노미
스오 모모코	후타미 아미
사쿠라모리 카오리	아키즈키 리츠코
키쿠치 마코토	토요카와 후우카
하기와라 유키호	
모모세 리오	

이벤트 정보

이벤트명	개최 기간	이벤트 곡
플래티넘 스타 테일 ~성 밀리언 여학원 당신께 드리는 꽃다발~	2021/6/17 ~2021/6/23	꽃잎 메모리즈

✦ 스토리 STORY

지난번에 개최된 「성 밀리언 여학원 시작의 꽃」의 속편. 이번 이야기는 병 때문에 요양하느라 2년 동안 휴학했던 츠무기가 다시 1학년으로 복귀하는 곳에서 시작된다. 복귀한 츠무기는 반장이기도 한 아르메리아 모모코와 즐겁게 접하지만, 학원의 자매 제도 이야기가 나오자 태도가 돌변해서 「한심한 제도」라고 독설을 내뱉는다. 그러자 모모코는 학원의 전통을 모욕했다며 반발하고, 결국 말다툼으로 발전하고 만다.

다음날, 모모코는 코노미에게서 졸업한 미스 아르메리아에게는 여동생 후보가 두 명 있었고, 그 둘이 미나코와 츠무기였다는 이야기를 듣는다. 한편, 츠무기는 현재의 미스 아르메리아인 미나코와 그 여동생 메구미의 대화에 끼어든다. 그리고 미나코에게 「당신을 용서하지 않겠습니다」라는 말을 하고 그 자리를 떠난다. 예전의 츠무기는 선대 미스 아르메리아의 동생 후보였지만, 지금은 「성 밀리언 여학원」에서 보기 힘든 언니나 여동생이 없는, 「뿌리 없는 풀」이라는 의미의 「데라시네」. 그 사실이 학원 전체에서 화제가 되는 와중에, 아미와 에밀리, 코노미는 츠미구와 친해지기 위해서 작전을 세운다. 하지만 츠무기가 거기에 반발. 너무 화가 난 나머지 교실에서 쓰러지고 만다. 그러던 중에 미나코는 메구미에게 아르메리아의 자매 관계를 해소하자고 제안한다.

전에는 소중한 친구였던 츠무기와 미나코의 과거. 그리고 미나코와 모모코가 아르메리아로 선택받은 이유. 선대 미스 아르메리아에서 이어진 자매들의 이야기가 지금 밝혀진다.

GREE판에서도 두 번이나 개최된 인기 게임 내부 이벤트

「성 밀리언 여학원」은 GREE에서 서비스했던 「아이돌마스터 밀리언 라이브!」(2013년 2월~1028년 3월)에서 두 번이나 개최됐던 인기 이벤트. 아이돌들의 자매 설정 등인 기본적으로 「밀리시타」와 같고, 미스 라벤더 아즈사와 우미, 이쿠의 이야기. 미스 재스민 카렌과 치하야, 스바루를 중심으로 하는 이야기가 그려졌다.

「시작의 꽃」에서 그려진 라벤더 자매의 이야기

지난 이벤트 「성 밀리언 여학원 시작의 꽃」에서는 미스 라벤더 아즈사와 그 동생 우미, 이쿠의 마음이 교차. 세 사람의 시선으로 스토리를 즐길 수 있는 이벤트 형식이 화제가 됐다. 그밖에 이벤트에 맞춰서 로터스의 코토하와 이오리, 로즈의 레이카와 미키 등, 각 자매들의 관계성을 엿볼 수 있는 이야기도 그려졌다.

성 밀리언 여학원 학생 명부 改

1~3학년이 자매 제도로 맺어지는 「성 밀리언 여학원」의 학생들을 소개. 3학년은 「미스 ●●」라는 꽃 이름으로 불리며, 자매가 없는 학생은 「뿌리 없는 풀」(데라시네)이라고 불린다.

재스민

- 3학년 시노미야 카렌
- 2학년 키사라기 치하야
- 1학년 나가요시 스바루

백합

- 3학년 니카이도 치즈루
- 2학년 나나오 유리코
- 1학년 후타미 마미

거베라

- 3학년 후쿠다 노리코
- 2학년 가나하 히비키
- 1학년 카스가 미라이

연꽃

- 3학년 타나카 코토하
- 2학년 모가미 시즈카
- 1학년 미나세 이오리

해바라기

- 3학년 시마바라 엘레나
- 2학년 텐쿠바시 토모카
- 1학년 타카츠키 야요이

데이지

- 3학년 타카야마 사요코
- 2학년 노노하라 아카네
- 1학년 오오가미 타마키

바이올렛

- 3학년 하기와라 유키호
- 2학년 키타자와 시호
- 1학년 에밀리 스튜어트

달리아

- 3학년 토쿠가와 마츠리
- 2학년 마카베 미즈키
- 1학년 모치즈키 안나

아르메리아

- 3학년 사타케 미나코
- 2학년 토코로 메구미
- 1학년 스오 모모코

장미

- 3학년 키타가미 레이카
- 2학년 호시이 미키
- 1학년 하코자키 세리카

아이리스

- 3학년 키쿠치 마코토
- 2학년 줄리아
- 1학년 야부키 카나

라벤더

- 3학년 미우라 아즈사
- 2학년 코사카 우미
- 1학년 나카타니 이쿠

진달래

- 3학년 모모세 리오
- 2학년 아마미 하루카
- 1학년 이부키 츠바사

히비스커스

- 3학년 마이하마 아유무
- 2학년 로코
- 1학년 후타미 아미

팬지

- 3학년 요코야마 나오
- 2학년 마츠다 아리사
- 1학년 바바 코노미

스위트피

- 3학년 시죠 타카네
- 2학년 미야오 미야
- 1학년 키노시타 히나타

시스터

아키즈키 리츠코
토요카와 후우카
사쿠라모리 카오리

데라시네

- 1학년 시라이시 츠무기

우수한 학생들의 관계성과 성격 일부를 소개

성 밀리언 여학원 학생 소개 2

「성 밀리언 여학원」학생들의 관계성을 다시 한번 소개한다. 다른 학생에 대해서는 지난 호「밀리언 라이브! 매거진 플러스 vol.3」을 읽어보면 더 깊이 알 수 있다.

성 밀리언 학원 관계도

시라이시 츠무기

Tsumugi Shiraishi

CV: 미나미 사키

●학년
1학년

●카드 입수 방법
이벤트랭킹보상

꽃다발 그림

의상 설정

「데라시네」
전에는
아르메리아
동생 후보

츠무기는 병 때문에 요양하느라 2
년을 휴학한 뒤에 복학한 1학년.
휴학하기 전에는 현재의 미스 아
르메리아인 미나코와도 사이가
좋았고, 둘이서 아르메리아의 동
생이 되기를 꿈꿨다. 지금은 학원
의 자매 제도에 찬동하지 않기 때
문에, 꽃의 이름을 지니지 않은
「데라시네」가 되었다.

성 밀리언 여학원 **시라이시 츠무기+**

성 밀리언 여학원 **시라이시 츠무기**

사타케 미나코

Minako Satake

CV:오오제키 에리

●학년
3학년

●카드 입수 방법
이벤트누적보상

의상 설정

자매와 우정 사이에서 흔들리는 미스 아르메리아

「성 밀리언 여학원」미스 아르메리아의 칭호를 지닌 3학년. 메구미, 모모코와 자매 제도를 맺고 있지만, 츠무기가 등장하면서 자매 해소를 제안한다. 1학년 때, 츠무기가 입원하던 때에 당시의 미스 아르메리아에서 동생 권유를 받은 과거가 있다.

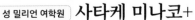

성 밀리언 여학원 사타케 미나코+

성 밀리언 여학원 사타케 미나코

토코로 메구미

Megumi Tokoro

cv: 후지이 유키요

● 직책
학생회 임원

● 학년
2학년

의상 설정

똑부러지고 싹싹한 미래의 미스 아르메리아

시원시원한 언니 타입의 2학년. 학년을 불문하고 모든 이가 의지하는 메구미는, 유일하게 자신이 응석을 부릴 수 있는 지금의 미스 아르메리아 미나코를 친언니처럼 흠모하고 있다. 학원 안에서는 둘이서 꽃을 돌보는 모습을 자주 목격할 수 있다. 학생회 선거 이후에는 부회장을 맡게 됐다.

TIPS

평소의 메구미는 유행을 추구하는 가루

메구미는 최신 화장품이나 트렌드에 민감한 아이돌. 「성 밀리언 여학원」에서 맡은 역할이 믿음직한 언니 타입이라는 점이, 평소의 메구미와 통하는 부분이 있다. 한편으로 온실에서 꽃을 돌보거나 학생회 선거에 출마하는 등, 평소와 다른 모습을 볼 수도 있다.

믿음직한 메구미를 동경하는 모모코. 미나코, 메구미, 모모코 세 사람은 친자매 같은 유대로 맺어져 있다.

요즘 여자라면 유행은 항상 체크! 왼쪽 카드는 「트렌드 앞서가기♪ 토코로 메구미」

부탁받는 일이 많은 메구미를 걱정하는 미나코. 그런 두 사람이 자매 제도를 해소하려고 하는 이유는….

스오 모모코

Momoko Suou

CV:와타나베 케이코

●학년
1학년

학원의 전통을 중시하는 고민 많은 소녀

모모코는 조금 기가 센 아르메리아 1학년. 반장을 맡고 있으며, 복학한 츠무기에게 친절하게 대한다. 누구보다 학원의 전통을 중시하는 탓에 츠무기의 별 생각 없는 한마디에 반응해서 화를 내는 일면도. 장래에 미나코나 메구미 같은 멋진 언니가 되기를 꿈꾸고 있다.

의상 설정

♥ **TIPS**

아역 경험을 살려서 연기 일에서 활약

아역 배우 경력이 있기에 연기에 대해 자기 나름대로 미학이 있는 모모코. 「성 밀리언 여학원」에서는 미나코와 메구미와의 자매 제도 안에서 흔들리는 감정이나 츠무기와의 관계성 변화, 반장으로서의 책임감 등의 다양한 표정을 보여주는 인물을, 프로로서 멋지게 연기해냈다.

프로로서의 신념을 가슴에 품고, 어떤 역할이건 소화하는 모모코. 왼쪽 카드는 「맛있게 드세요…♡ 스오 모모코」.

아미와 에밀리, 코노미와 「츠무기와 친구가 되는 작전」을 계획하는 모모코인데….

모모코는 「츠무기는 졸업할 때까지 같이」라면서, 점심을 같이 먹자고 제안한다.

사쿠라모리 카오리

Kaori Sakuramori

CV: 코리 아리사

●직책
시스터

●카드 입수 방법
「사랑·소중한 당신과… 성 밀리언 여학원 촬영」에서 입수

의상 설정

노래를 아주 좋아하는 신임 시스터

봄부터 「성 밀리언 여학원」에서 일하게 된 신임 시스터. 학원 졸업생이며, 학생 시절에는 말괄량이 같은 일면도 있었다. 노래를 아주 좋아해서, 수업 중간중간 쉬는 시간에 안뜰 등에서 노래한다. …문제는 너무 정신이 팔려서 수업이 시작된 줄도 모를 때가 있다.

♥TIPS 아이돌이 되기 전에는 음악 학원 선생님♪

아이돌이 되기 전의 카오리는 자위관인 아버지를 도와서 자위대 기지 축제에서 노래를 피로하거나 음악 학원 강사를 하는 등, 좋아하는 노래와 관련된 일을 하고 있었다. 그러던 중에 자위대 기지 축제에서 노래하는 카오리의 평판을 듣고 찾아온 프로듀서의 열의에 감명을 받고 아이돌로서 노래하기로 결심한다.

원래 강사를 했던 만큼 음악 선생님 역할이 어울린다. 왼쪽 카드는 「동경하는 선생님 사쿠라모리 카오리」.

순백, 더러움 없이 **사쿠라모리 카오리**

순백, 더러움 없이 **사쿠라모리 카오리+**

마카베 미즈키

Mizuki Makabe

cv:아베 리카

●학년
2학년

●카드 입수 방법
「사랑·소중한 당신과… 성 밀리언 여학원 촬영」에서 입수

의상 설정

언니를 아끼는 매지컬 달리아

미즈키는 「성 밀리언 여학원」 2학년. 언니인 미스 달리아 마츠리가 교복 리본을 바로잡아주는 모습이 목격되는 등, 자매의 사이가 좋다는 사실을 엿볼 수 있다. 또한 마츠리가 졸업할 때는 동생 안나와 같이 깜짝 매직을 피로하고, 눈물을 글썽이면서 배웅했다.

TIPS

마술 소재, 생각해냈습니다

미즈키의 취미와 특기는 마술과 배턴 트월링. 이것들을 아이돌 일에서도 충분히 활용하고 있는데, 자주 피로하면서 분위기를 달아오르게 한다. 「성 밀리언 여학원」에서는, 최근의 즐거운 일은 마술로 동생 안나를 놀라게 하는 것이라고 말하는 장면도. 서프라이즈 매직, 대성공입니다.

특기인 포커페이스와 마술이 상성 발군! 왼쪽 카드는 「이른 아침잠이 덜 깬 온천 마카베 미즈키」.

갸륵한 선물 **마카베 미즈키**

갸륵한 선물 **마카베 미즈키+**

모모세 리오

Rio Momose

CV:야마구치 리카코

●학년
3 학년
(미스 진달래)

하기와라 유키호

Yukiho Hagiwara

CV:아사쿠라 아즈미

●학년
3 학년
(미스 바이올렛)

키쿠치 마코토

Makoto Kikuchi

CV:히라타 히로미

●학년
3 학년
(미스 아이리스)

바바 코노미

Konomi Baba

CV:타카하시 미나미

●학년
1학년

에밀리

Emily Stewart

CV:카하라 유

●학년
1학년

요코야마 나오

Nao Yokoyama

CV:와타나베 유이

●학년
3 학년
(미스 팬지)

토요카와 후우카
Fuka Toyokawa
직책 : 시스터
CV : 스에가라 리에

아키즈키 리츠코
Ritsuko Akizuki
직책 : 시스터
CV : 와카바야시 나오미

후타미 아미
Ami Futami
●학년
1학년
CV : 시모다 아사미

 **밀리여학원
CD도 등장!**

「성 밀리언 여학원」의 노래가 수록된 CD
가 발매 중. 소녀들의 노래를 들으면서 학
원에서 자아내는 자매들의 이야기를 떠
떠올려보자!

**THE IDOLM@STER MILLION LIVE!
성 밀리언 여학원**
발매일
2021/8/25
수록곡
01. 커트시 플라워
02. 성 밀리언 여학원 교가
03. 꽃잎 메모리즈

모치즈키 안나
Anna Mochizuki
●학년
1학년
CV : 나츠카와 시이나

토쿠가와 마츠리
Matsuri Tokugawa
●학년
3학년
(미스 달리아)
CV : 스와 아야카

성 밀리언 여학원 주님의 선물

호기심 왕성한 한 소녀와 천사의 노랫소리를 지닌 소녀의 만남에서 시작되는 새로운 이야기. 그 일부를 소개!

「어드밴스드 스토리」로 자아내는 단아한 자매들의 이야기

「밀리시타」가 선사하는 새로운 영상 표현, 그것이 「어드밴스드 스토리」. 보통 스토리에서는 볼 수 없는 아이돌의 몸짓이나 카메라 워크로 스토리가 진행되면서, 마치 애니메이션을 보는 것 같은 감각으로 즐길 수 있다. 현재 특설 홈페이지에서 공개 중.

1화 「동생이 되어주시겠어요?」

신입생 요시나가 스바루는 입학식 전에, 안 뜰에서 노래 연습을 하고 있던 키사라기 치하야와 만난다.

2화 「동경하는 그대」

스바루가 치하야에게서 동생 권유를 받았다는 이야기를 듣고, 반 친구들이 놀란다. 사실 치하야는 모두가 동경하는 존재였다.

3화 「재스민으로서」

미스 재스민 카렌, 치하야와 같이 점심을 먹는 스바루. 두 사람의 관계에 마음이 끌려서 동생이 되겠다고 선언한다.

OP & CM

성 밀리언 여학원 학생들이 화려하게 대결한다?!

소녀들이 모이는 학원에는 특별한 날에 행하는 비밀 무도회가 있다. 그 이름도 「성 밀리온 무투제」. 소녀들을 우승으로 이끄는 것은 학원의 교사로 부임한 '당신'. 지금, 뜨거운 이야기의 막이 오른다! 본 기획은 2021년 4월 1일에 실행됐던 만우절 기획. 현재 「게임 코너」에서 대전 액션 게임풍 미니 게임 「밀리녀 파이트!」로서 플레이 가능.

빛나는 아이돌들의 새로운 매력!
MILLION LIVE CLOSET!

![MILLION LIVE ミリクロ! CLOSET!]

프로듀서가 아이돌의 의상을 정하는 기획 「MILLION LIVE CLOSET!」(일명 「밀리클로」). 이 기획에서는, 준비된 의상 5종 중에서 각 아이돌에게 가장 잘 어울린다고 생각하는 의상에 프로듀서가 투표. 아이돌의 매력을 한껏 이끌어 내기 위해 노력했다. 그 결과와 각 아이돌이 의상을 입은 모습을 소개!

퓨어 원피스	프레시 차이나		프리티 웨이트리스		섹시 스파이	엘레강스 스키
아마미 하루카	에밀리 스튜어트	토코로 메구미	코사카 우미	니카이도 치즈루	시죠 타카네	후타미 마미
카스가 미라이	사타케 미나코	마카베 미즈키	나카타니 이쿠	마이하마 아유무	모모세 리오	시노미야 카렌
가나하 히비키	타카야마 사요코	미나세 이오리	하기와라 유키호	로코	토요카와 후우카	
키쿠치 마코토	타나카 코토하	이부키 츠바사	마츠다 아리사	키노시타 히나타	바바 코노미	
나나오 유리코	토쿠가와 마츠리	키타가미 레이카	야부키 카나	레온	미우라 아즈사	
키사라기 치하야	후쿠다 노리코	사쿠라모리 카오리	스오 모모코	시이카		
키타자와 시호	요코야마 나오	타카츠키 야요이				
줄리아	아키즈키 리츠코	하코자키 세리카				
	시라이시 츠무기	미야오 미야				
	텐쿠바시 토모카					

섹시 스파이

섹시한 가죽 수트 차림으로 미션을 확실하게 수행하는 쿨한 스파이. 밤거리를 화려하게 누비는 그들의 정체는… 그건 비밀♥

四条 貴音 TAKANE SHIJOU

百瀬 莉緒 RIO MOMOSE

豊川 風花 FUKA TOYOKAWA

馬場 このみ KONOMI BABA

三浦あずさ AZUSA MIURA

「밀리클로」 시리즈 입수 방법은?

「밀리클로」 시리즈 의상은 각 플래티넘 촬영이나 메달 촬영에서 입수할 수 있다. 투표 기간은 끝났지만, 각 아이돌의 「밀리클로」 시리즈 의상은 앞으로도 입수할 수 있다. 또한 후술할 레온, 시이카의 「밀리클로」 시리즈 의상은 기간 한정 등장이었다.

프리티 웨이트리스

너무 귀여워서 나도 모르게 주문을 깜박?! 항상 열심히 하는 당신에게, 저희 가게의 웨이트리스가 특제 메뉴로 대접해드립니다♥

레온, 시이카도 「밀리클로」에 참가!

961 프로 소속 아이돌 레온과 시이카도 「밀리클로」에 참전. 두 사람의 의상은 배신 이벤트 「밀리시타 감사제 2020~2021 ONLINE」에서, 프로듀서들의 투표를 통해 결정했다. 그 결과, 근소한 차이였지만 두 사람 모두 「프리티 웨이트리스」를 착용하게 됐다.

엘레강트 수영복

덧없고 아름다운 인어공주를 떠올리게 하는, 우아하고 요염한 비키니 타입 수영복. 전하고 싶지만 전해지지 않는… 노랫소리는 물거품이 되어 녹아버린다. 이 사랑하는 마음처럼….

프레시 차이나

핫! 에잇! 붉게 펄럭이는 차이나 드레스로 화려한 액션 포즈를 피로♪ 위력 발군! 미소 만개! 매력 만발! 이걸로 나도 쿵푸 달인… 일지도?

퓨어 원피스

청순한 원피스 자락을 펄럭이며 뒤돌아보는 그 미소는, 태양에게도 지지 않을 만큼 눈부시다…. 그녀와 만난 곳은 초원? 아니면… 꿈속?

天海春香 HARUKA AMAMI

春日未来 MIRAI KASUGA

我那覇響 HIBIKI GANAHA

菊地真 MAKOTO KIKUCHI

土星白百合子 YURIKO NANAO

如月千早 CHIHAYA KISARAGI

北沢志保 SHIHO KITAZAWA

ジュリア JULIA

水吉昴 SUBARU NAGAYOSHI

最上静香 SHIZUKA MOGAMI

大神環 TAMAKI OGAMI

島原エレナ ELENA SHIMABARA

野々原茜 AKANE NONOHARA

双海亜美 AMI FUTAMI

星井美希 MIKI HOSHII

望月杏奈 ANNA MOCHIZUKI

새로운 의상 투표 기획 스타트!
MILLION LIVE CONFERENCE!

프로듀서가 아이돌의 의상을 정하는 투표 기획 제2탄이 시동! 「밀리시타 감사제 2020~2021 ONLINE」에서 투표를 진행한 결과, 이번에는 「파자마」의상으로 결정. 「해피니스 룸 웨어」등을 입고 방에서 쉬는 아이돌의 모습에 주목하자.

실제로 진행된
시청자 투표 후보는 이쪽

● 방에서 휴식! 파자마 특집!
● 모두의 꿈☆힐링 너스 특집!
● 다양한 토끼 뿅♪ 바니 특집!

秋月 律子
RITSUKO AKIZUKI

宮尾 美也
MIYA MIYAO

春日 未来
MIRAI KASUGA

矢吹 可奈
KANA YABUKI

앞으로 「파자마 의상」을 착용한 아이돌들이 속속 등장!

아이돌의 새로운 일면이
세컨드 헤어스타일

아이돌들의 새로운 가능성, 그것이 세컨드 헤어스타일.
평소와 다른 헤어스타일로 무대를 장식하는 그녀들의 매력에 눈길이 사로잡힐 것이다!

헤어스타일을 바꿔서 무대로!

현재 「밀리시타」에서는 765프로 라이브 극장(시어터) 아이돌들의 제2의 헤어스타일을 즐길 수 있는 「세컨드 헤어스타일」이 등장했다. 「세컨드 헤어스타일 촬영」 기간 중에 해당 아이돌의 SSR 카드를 입수하면 헤어스타일을 변경 가능. 그리고 「세컨드 헤어스타일 카드」를 소지하고 각 의상을 「스타일링 레슨」하면, 그 의상으로도 「세컨드 헤어스타일」을 즐길 수 있다.

미키의 세컨드 헤어스타일은 평소의 롱 헤어에서 포니테일로. 아이돌들의 새로운 매력을 끌어내보자.

의상을 스타일링 레슨 하려면, 각 아이돌 전용 「스타일 드롭」이 필요하다.

페이버릿 오더

앞으로 각 아이돌의 「세컨드 헤어스타일」이 속속 등장할 예정. 의상과의 새로운 조합으로 라이브를 즐겨보자.

레슨 웨어

「세컨드 헤어스타일」은 사복이나 레슨 웨어, 일부 SSR 의상에도 반영할 수 있다.

miraclesonic★expassion

멤버

마이하마 아유무

후쿠다 노리코

시마바라 엘레나

코사카 우미

miraclesonic★expassion

일 분 일 초도 멈추지 않아
지금 이 순간도

CD정보

THE IDOLM@STER
MILLION THE@TER WAVE 08
miraclesonic★expassion

발매일

2020/11/25

수록곡

01. 드라마 「Return at miraclesonic★Prologue」
02. 절대적 Performer
03. 드라마 「Return at miraclesonic★1」
04. 드라마 「Return at miraclesonic★2」
05. 드라마 「Return at miraclesonic★3」
06. My Evolution
07. 드라마 「Return at miraclesonic★Epilogue」

『miraclesonic★expassion』등장 이벤트

플래티너스 투어
絕對的 Performer

이벤트 정보

이벤트명
플래티넘 스타 투어
~절대적 Performer~

개최 기간
2020/5/18~2020/5/25

이벤트 곡
절대적 Performer

보상 아이돌
마이하마 아유무, 후쿠다 노리코

스토리
프롤로그
제1화 : Dancerble girls
제2화 : Realtime? 199X
제3화 : Research now
제4화 : Leader night fever
제5화 : Gift from nineties
제6화 : One night dream
에필로그 : Don't forget

멈추지 않는 My Evolution

신곡 공연을 위해 아유무, 노리코, 엘레나, 우미로 구성된 댄서블 멤버가 90년대풍 댄스 유닛을 결성. 멤버들은 유닛을 이상적인 형태로 만들기 위해, 짧은 합숙을 하기로. 그러는 중에, 모두의 꿈의 조각들이 모여서 태어난 「765프로 라이브 극장의 혼」이 우미 안으로 들어가고, 프로듀서 앞에 나타난다. 그리고 극장을 90년대로 타입 슬립했다고 말했다. 「이 극장에서만 영원히 공연했으면 싶다」는 소원 때문에 타임슬립 연습을 했다고 하면서도, 이것은 유닛을 위한 일이라고도 말했다. 그 말을 들은 아이돌들은 반신반의했지만, 당시의 잡지들을 보면서 타임슬립했다는 사실을 실감. 이것도 나쁘지 않다고 생각하기 시작했다.

프로듀서는 극장의 혼과 이야기를 나누면서, 유닛이 잘 되어가는 것이 사태를 해결하는 방법이라고 멤버들에게 말한다. 그러자 우미는 「90년대의 공기를 느끼는 쪽이 좋다」고 제안하고, 엘레나와 함께 거리로 나간다. 아유무와 노리코는 디스코텍으로. 신나게 춤추는 아유무를 본 노리코는, 아유무가 이 시대에 남고 싶어 하는 건 아닌지 불안해진다. 하지만 아유무는 유닛을 생각하고 있었다. 디스코텍에서의 체험을 통해 「팬들도 같이 즐거워했으면 좋겠다」라고 말하는 아유무. 그 한 마디로 유닛의 방향성이 정해졌다.

남은 건 원래 시대로 돌아가는 것뿐. 하지만 프로듀서와 아이돌은 어느새 현대로 돌아와 있었다. 그리고 라이브 당일. 합숙에서 체험한 것을 발휘한 노래와 댄스로, 팬들을 최고의 90년대로 데려가겠다고 맹세했다.

신곡 공연은 대성공으로 종료. 훗날 미러볼이 빛나는 디스코텍에서 PV를 촬영했다. 당시와 똑같은 분위기와 소품으로 준비한 90년대 잡지를 보며, 그 체험은 프로듀서가 꾸민 게 아닌가 의심하는 아유무와 멤버들. 아이돌들을 진정시키기 위해, 프로듀서는 자기도 모르게 고개를 끄덕이고 말았다.

드라마 CD에서는 극장의 영혼 게키코가 다섯 번째 멤버가 돼서 유닛을 더욱 신나게 만들어주는 모습이 그려진다.

의상

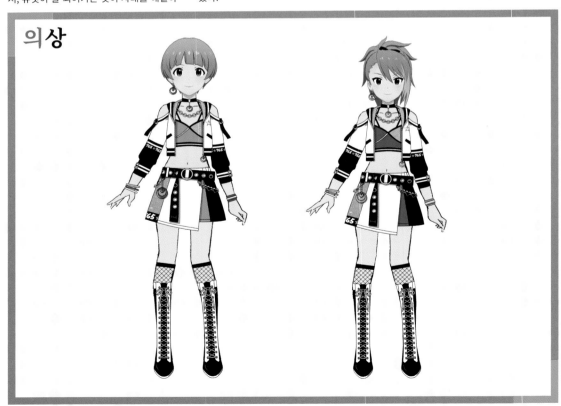

miraclesonic★expassion●후쿠다 노리코

뭐어어어어?! 잠깐만요,
프로듀서, 아유무! 혹시 이 시합은……
역시나! 맞아, 그 전설의 베스트 바우트!!!
실시간으로 보다니, 감동이야~?!

miraclesonic★expassion●마이하마 아유무

정말 미안해, 노리코~!
걱정 안 해도 돼! 나는,
모두와 같이 있을 거니까.
그러니까 울지 말고 극장으로 돌아가자.
모두가 있는 곳으로.

miraclesonic★expassion●후쿠다 노리코＋

여러분, 준비 됐어요?!
오늘은 저희들의 퍼포먼스로
최고의 무대를 만들 거예요!
다들 절대로 놓치면 안 돼요!
자, 따라와보세요♪

miraclesonic★expassion●마이하마 아유무＋

여러분~ 듣고 있어요?!
저희들의 On The Wave!
여러분도 파도를 만들고, 파도가 되세요!
몸이 자유롭게 움직이니까
멘트도 평소보다 잘 나오는 것 같아! 헤헷♪

대사집

그게 아까까지 내 안에 들어와 있었나~. 혹시…… 유령은 아니었을까?

이벤트 스토리 제3화에서, 자기 몸을 차지했던 극장의 혼에 대해, 밝게 말하는 우미.

저, 저기. 혹시 말이야, 그 합숙… 사실은 90년대가 아니라, 현대였던 건 아닐까……??

에필로그에서, 90년대의 디스코텍을 재현하는 것도 오래된 잡지와 CD를 모으는 것도 가능하기에, 타임슬립 자체가 프로듀서의 깜짝 이벤트가 아니었는지 생각하기 시작하는 아유무.

혹시 아유무 말이야…. 우리한테…….

이벤트 스토리 제4화에서, 서브 리더로서 아유무를 돕는 노리코는, 아유무가 90년대에 남고 싶어하는 건 아닌지 불안해졌다.

그런데 만약에 한 번 더 타임슬립 할 수 있다면…… 이번에는 꼭, 프로레슬링을 보러 갈지도…?!

이벤트 스토리 제6화에서, 프로레슬링 잡지도 충실했던 90년대를 그리워하는 노리코도, 다음에는 꼭 프로레슬링을 관전하기를 바란다.

우, 우미! 그 얘기는 그만해~! 계속 하겠다면…… 댄스로, 승부야!

에필로그에서, 극장의 혼을 귀신이라고 무서워하는 엘레나. 더 이상 듣고 싶지 않아서 우미에게 댄스 승부를 건다.

좋은 방법을 찾아내서, 최고가 된다는 얘기잖아? 그쪽이 절대로 좋을 것 같아♪

이벤트 스토리 제6화에서, 댄스를 처음부터 다시 검토하고 싶다는 아유무에게 웃는 얼굴로 대답하는 엘레나.

그런가. 여기 와서 처음으로, 우리 시대랑 별로 다르지 않다는 걸, 알았어!

이벤트 스토리 제3화에서, 90년대의 공기를 느끼기 위해 거리로 나가는 우미와 멤버들. 타임슬립을 겪으면서 예전과 현대가 크게 다르지 않다는 사실을 깨닫는다.

게임 내 재킷

나는 팬 여러분이, 우리와 같이, 즐겨주셨으면 싶어… 라고!

이벤트 스토리 제5화에서, 리더로 임명된 아유무는 유닛의 방향성을 고민하고 있었다. 하지만 디스코텍에서 춤추면서 생각을 정리했다.

Fleuranges

멤버

시노미야 카렌

하코자키 세리카

키노시타 히나타

미야오 미야

스토리는 지금부터

CD정보

THE IDOLM@STER
MILLION THE@TER WAVE 09
Fleuranges

발매일

2020/12/23

수록곡

- 01. 드라마「Scene01 : 기다리는 시간은 갑자기」
- 02. Special Wonderful Smile
- 03. 드라마「Scene02 : 꽃보다 빵」
- 04. 드라마「Scene03 : 그 꽃말은」
- 05. 드라마「Scene04 : 모퉁이에서」
- 06. 여행을 떠나는 나침반
- 07. 드라마「Scene05 : 돌아온 파리젠느들」

「Fleuranges」등장 이벤트

프라티나스타 투어 Special Wonderful Smile

이벤트 정보

이벤트명
플래티넘 스타 투어
~Special Wonderful Smile~

개최 기간
2020/6/18~2020/6/24

이벤트 곡
Special Wonderful Smile

보상 아이돌
시노미야 카렌, 호시자키 세리카

스토리

프롤로그
제1화 : 유혹은 음색에 이끌려
제2화 : 망설임은 갑작스럽게
제3화 : 잠은 쿠마사부로와 함께
제4화 : 노력은 승리를 위해서
제5화 : 당신은 비밀과 함께
제6화 : 웃는 얼굴은 꽃피듯
에필로그 : 이야기는 끝나지 않아

아직 모르는 세계로

차분하고 권태로운 분위기의 새 곡을 받은 프로듀서. 옆에서 곡을 듣고서 마음에 든다고 하는 카렌과, 곡에 이끌려서 찾아온 세리카, 히나타, 미야를 멤버로 유닛을 만들기로 결정한다.

곧바로 PV 촬영 리허설. 그런데 수다 장면에서 감독이 「본 촬영에서는 하늘하늘한 귀여움에 더해서 차분하고 두근두근한 분위기를 표현해줬으면 싶다」고 요구했다.

자신들에게 부족한 것을 찾아내기로 하는 카렌과 멤버들. 수다 속에 「비밀」을 섞으면 독특한 분위기가 나지 않을까, 라는 프로듀서의 조언을 듣고서 서로의 비밀에 대해 말하는 자리를 갖기로 했다.

먼저 히나타의 비밀부터. 히나타는 현상에서 당첨된 인형 쿠마사부로를 꼭 안아야만 잠이 온다고, 부끄럽다는 것처럼 말했다. 그

리고 미야는 레스 전에 팔 휘두르기를 100번 한다고 고백했다. 그 성과를 발휘하는 곳은 바둑, 장기 센터. 장기말 놓는 자세로 휘두르기 연습을 한 날이면 이기는 때가 많다고, 미야는 즐겁게 말했다.

한편, 뭔가를 생각하던 세리카는 다른 사람들에게 말할 비밀이 없다고 프로듀서에게 상담. 우연히 그 이야기를 들은 카렌은 프로듀서조차도 모르는, 극장에 있는 비밀 방으로 두 사람을 안내한다.

그곳엔 언젠가 카렌이 본 공연 전에 긴장해서 이리저리 돌아다니던 중에 발견한 곳으로, 특이한 아로마 향도 바깥으로 새나가지 않아서, 혼자 있고 싶을 때 오는 곳이라고 했다. 그리고 「비밀이 없다면 만들면 된다」고 조언했고, 세리카도 다른 사람들과 같이 이야기를 하면서 비밀을 잔뜩 만들겠다고

결심했다.

그리고 PV 촬영 당일, 멋진 표정을 지어서 대성공. 감독이 「무슨 연습을 했나」라고 묻자, 네 사람은 「비밀이에요」라고 말하며 기쁘다는 것처럼 미소지었다.

드라마 CD에서는 네 명이 PV 촬영 중간에 산책이나 연애 이야기를 즐기는 모습을 그렸다.

의상

●누적●

●랭킹●

Fleuranges●하코자키 세리카

다른 사람들에게는 비밀이 있고,
왠지 정말 즐거워 보여…….
어째서 나한테는 비밀이 없는 걸까……?
나도, 사이좋게 얘기하고 싶은데…….

Fleuranges●시노미야 카렌

세, 세리카, 즐거워보이던데요……
그 정도면 괜찮을 것 같아요……♪
저기… 저기, 제, 제일 큰 비밀은……
프로듀서 씨한테만, 언젠가 가르쳐 드릴게요
……라고나, 할까요……♪

Fleuranges●하코자키 세리카＋

우와……♪ 후훗.
뭔가 정말 멋진 얘기네요?
듣기만 해도,
저도 조금 두근두근해요.
사랑의 비밀, 더 얘기해주세요♪

Fleuranges●시노미야 카렌＋

이, 이런 얘기 알려나……?
후훗… 왠지 정말 놀랍네……♪
우리도, 언젠가 사랑을 하고… 어, 어른이
되려나…… 라는 건……. 지금은 아직,
말 못해…… 우리끼리 비밀이야……♪

대사집

맞아요~. 옥상에서 다 같이, 열심히 햇볕을 쬐려던 중이었어요~.

이벤트 스토리 제1화에서. 악곡에 이끌려 찾아오기 전에는 세리카, 히나타와 같이 햇볕을 쬐고 있던 미야. 세리카는 미야한테 햇볕 쬐기의 소질이 있다고 칭찬받았다는 것 같다.

숨어 있는 뿌리가 중요한 건, 사람도 작물도 마찬가지구나. 이벤트 스토리 제4화에서, 미야의 숨겨진 노력을 본 히나타가 한마디. 농작물을 키우는 게 얼마나 힘든지 알고 있는 히나타 이야기에 가슴이 찡한 감성.

역시 남몰래 특훈을 거듭했기 때문에, 오늘의 결과를 얻을 수 있는 게 아닐까~. 므흐흐.

이벤트 스토리 제4화에서, 장기말 휘두르는 연습을 했다고 밝힌 뒤에 대국을 피로하는 미야. 눈을 반짝이는 세리카에게는 휘두르기와 같이 장기 규칙부터 가르쳐줬다.

자, 자기 전에, 쿠마사부로를 안고서 자는 거, 말인데…….

이벤트 스토리 제3화에서. 당첨돼서 상품으로 받은 쿠마사부로를 안고 잔다고 밝히는 히나타. 집에서는 쿠마사부로 없이는 잠들지 못하게 돼버렸다는 것 같다

게임 내 재킷

저기, 세리카……. 비, 비밀이 없다면…… 만들면, 되지 않을까……?

이벤트 스토리 제6화에서. 비밀이 없다고 고민하는 세리카에게 「많이 얘기하다보면 비밀은 얼마든지 만들 수 있어」라고 조언하는 카렌.

그렇다면…… 모두가 가지고 있는 비, 비밀을…… 모아서, 얘기 한다…… 든지……?

이벤트 스토리 제2화에서. '좀 더 분위기를 살려줬으면 좋겠다'라는 감독의 주문을 받고, 카렌이 자신들에게 부족한 것을 얻기 위해서 제안한 것은 「비밀 이야기 모임」이었다.

그때는 나도, 파파한테 부탁해서 자고 갈게요! 우리 다 같이 자는 거예요♪

이벤트 스토리 제3화에서. 히나타에게 '물어봤냐고 바로 대답할 수 있는 건 비밀이 아니라고. 세리카도 같이 자자는 제안을 했고, 히나타에게 「쓸쓸하면 불러줘」라고 말하는 카렌과 멤버들의 상냥함에 히나타는 웃는 얼굴을 보였다.

그런데, 그게…… 저는, 여러분께 밝힐 비밀이, 없는 것 같아요……。

이벤트 스토리 제5화에서. 물어봤다고 바로 대답하는 세리카. 자신에게는 히나타와 미야처럼 멋진 비밀이 없다고 프로듀서에게 상담하는 세리카。

멤버

키타자와 시호

사쿠라모리 카오리

타나카 코토하

토쿠가와 마츠리

마음에 맹세한 목적지로 향하자

CD정보

THE IDOLM@STER
MILLION THE@TER
WAVE 11
오페라세리아 황휘좌

발매일

2020/9/23

수록곡

01. 드라마 「Parade d'amour 서막 결의」
02. Parade d'amour
03. 드라마 「Parade d'amour 1막 비밀」
04. 드라마 「Parade d'amour 2막 매일」
05. 드라마 「Parade d'amour 3막 친구」
06. 드라마 「Parade d'amour 4막 소원」
07. 별천지의 Voyage
08. 드라마 「Parade d'amour 종막 고백」

「오페라세리아 황휘좌」 등장 이벤트

이벤트 정보

이벤트명
플래티넘 스타 투어 ~Parade d'amour~

개최 기간
2020/7/20~2020/7/27

이벤트 곡
Parade d'amour

보상 아이돌
키타자와 시호, 사쿠라모리 카오리

스토리
프롤로그
제1화 : 어서오세요, 황휘좌에
제2화 : 그대로, 무엇 때문에 노래하는가
제3화 : 사랑은 물결 사이로 흔들리고
제4화 : 삼과 아뢰옵건대, 동화 나라에서
제5화 : 그저 넘쳐서, 흘러가는 것
제6화 : 그리고 막은 올라간다
에필로그 : 오오, 아리따운 그대여!

저기 지금 당장 날 데리러 와줘, 특별한 여행을 떠나고 싶어

다음 극장 공연을 앞둔 프로듀서. 이번에는 분위기를 바꿔보고 싶다고 생각하던 중에 사장에게서 「뮤지컬은 어떤가」라는 제안을 받고서, 연기를 잘 하는 시호, 코토하, 마츠리, 노래를 잘 하는 카오리로 구성된 유닛으로 새로운 무대를 향해 날아 오르기로 결심한다.

19세기 유럽을 무대로 귀족 영애인 주인공은 속아서 빚을 진 아버지를 구하기 위해서, 남장을 하고 채권자의 아들이 다니는 사관학교에 잠입. 빚문서를 손에 넣기 위해 분투한다. 하지만 여성이라는 것을 들킨 주인공은 세 청년에게서 구혼을 받게 된다는, 그런 스토리. 마츠리는 애독하는 순정만화와 비슷한 이야기라고 좋아하고, 코토하는 평소와 다른 자신이 될 수 있는 것이 무대의 참맛이라면서 의욕을 보였다.

유일하게 여성인 주인공, 영애 역할을 담당하는 멤버는 시호. 시호는 연습하던 중에 카오리에게서 「뮤지컬의 등장인물은 어째서 노래를 시작하는 걸까」라는 질문을 받는다. 생각지도 못한 숙제에 쉽사리 답을 찾지 못했지만, 코토하에게서 「연기하는 인물이 어떤 인생을 살아왔고 어떻게 사람을 사랑하는지 열심히 생각하고 있다」라는 이야기를 배웠고, 마츠리는 놀이공원 데이트에 에스코트 받고 고양이 열쇠고리를 선물 받는 「공주님」 같은 경험을 하게 해줬다.

그리고 힌트를 얻은 시호는 레슨 쉬는 날, 카나에게 「무슨 생각을 하고 어떤 의도로 노래하는지」 의견을 듣기로 했다. 카나는 말로는 대답할 수 없지만 전하고 싶은 마음이 가슴을 가득 채워버리면 노래를 시작하게 된다고, 노래를 불러서 보여줬다.

조금이나마 자기 나름대로 답을 찾아낸 시호. 뮤지컬의 등장인물은 어째서 노래를 부르는 걸까. 그것은 말로는 표현할 수 없는 너무나 커다란 마음을 노래와 춤, 모든 것을 다 사용해서 열심히 표현하는 거라고. 카오리는 시호가 스스로 찾아낸 답이 정답이라고 말하며 웃어 보였다. 고민이 해결된 시호는 주인공 역할을 멋지게 소화해냈고, 뮤지컬은 모든 공연 만원 사례라는 성공을 거두고 막을 내렸다.

드라마 CD에서는 멤버들이 실제로 뮤지컬 「Parade d'amour」을 피로했다.

의상

●누적●　●랭킹●

오페라세리아 황휘좌 ●사쿠라모리 카오리

그러니까…… 이렇게? 뭐, 아냐?
아으, 잘생긴 남자로 보이는 동작은
의외로 어렵구나…… 하지만, 포기하진 않을 거야!
치즈루, 스바루.
한 번 더 시범 보여줄 수 있을까?

오페라세리아 황휘좌 ●키타자와 시호

마츠리 씨, 무슨 일이세요?
……간식? 정말 고맙습니다, 나중에…… 읍.
……아뇨, 저기. 하나 더 먹는 건 좀,
아직 입에 들어 있거든요.
코토하 씨도…… 아, 알았으니까요.

오페라세리아 황휘좌 ●사쿠라모리 카오리＋

그대가 이곳에 나타난 그 날,
나는 알아차렸다.
그대야말로 내 운명의 사람…… 이라고.
자, 이 손을 잡고.
내 사랑을, 받아주겠어?

오페라세리아 황휘좌 ●키타자와 시호＋

결혼이라니…… 무슨 말씀이신가요?
저는, 빚문서를 훔치기 위해서 여기에 왔고……
다른 사람들도, 속이고 있었답니다?
그런데…… 어째서 당신은, 당신들은,
그런 눈으로 저를 보시는 건가요……?

대사집

게임 내 재킷

……하긴, 그러네요. ……후훗. 어쩐지 모두들 시호를 열심히 챙겨주려고 하더라니.

이벤트 스토리 제2화에서, 멤버들이 시호를 챙겨주려고 하는 것이 어리고 동생포지션이기 때문이라는 사실을 알아차린 코토하. 가장 챙겨주려고 하는 것이.

아무튼, 시호는 내가 확실하게 에스코트 할 테니까! 기대하세요♪

이벤트 스토리 제6화에서. 코토하. 마츠리 다음에는 자신과 드라이브 데이트를 하자고 제안하는 카오리. 「잘 생긴 남자처럼 행동하는 방법을 배웠다」라고 자신만만.

원더풀~! 귀엽고 강한 공주님에,
정말 반짝반짝한 왕자님들……

이벤트 스토리 제1화에서. 자신이 좋아하는 순정만화에도 이런 이야기가 있다며 눈을 반짝이는 마츠리.

알았어. 그리고, 시호가 어떤 답을 찾았는지
얘기해줘. 기대할 테니까.

이벤트 스토리 제2화에서 「뮤지컬의 등장인물은 왜 노래를 부르는 걸까」.
카오리의 질문에 시호는 고민했고, 답을 찾으려고 한다.

응, 모르니까,
내가 할 수 있는 걸
열심히 하고 있는 거려나.
……일단은 역할을 소화하는 것부터.

이벤트 스토리 제3화에서. 자신이 맡은 역할에 대한 생각을 시호에게 말하는 코토하.
이 뒤에 코토하 자신이 보트를 몰아서 시호를 에스코트.

마츠리 왕자가 공주님께,
정말로 폭신폭신한 선물을
준비해왔습니다. ……짜잔♪

이벤트 스토리 제4화에서. 좋아하는 공주님이 계속 반짝반짝 빛났으면 좋겠다고.
시호가 갖고 싶어하는 것 같던 고양이 열쇠고리를 선물하는 마츠리 왕자.

잠깐…… 뭐,
뭐예요, 하지 마세요.
……대체 뭐예요,
정말로…….

에필로그에서. 공연이 끝나고 받은 팬레터에다,
프로듀서와 코토하, 마츠리, 카오리까지 귀엽다고 말하자 곤혹스러워하는 시호.

시호는~♪ 정말 귀여워~♪
멋있는 점도~ 잔뜩 있지만~♪
대기실에서, 인형이랑 마주보면서~♪
살짝 웃는 얼굴이, 정말 좋아~♪

이벤트 스토리 제5화에서.
시호의 귀엽다고 생각하는 포인트를 전하려고 노래하는 카나.
이 마음이 시호에게 큰 조언이 되었다.

다이아몬드 다이버◇

멤버

타카츠키 야요이

아마미 하루카

가나하 히비키

이 아름다운 경치,
누군가에게 보여주고 싶어

CD정보

THE IDOLM@STER
MILLION THE@TER WAVE 12
다이아몬드 다이버◇

발매일

2020/10/28

수록곡

- 01. 오프닝 「혼저옵서예, 아름다운 바다에!」
- 02. 드라마 「제1화 바닷속의 작은 집」
- 03. Deep, Deep Blue
- 04. 드라마 「제2화 침동동」
- 05. 드라마 「제3화 아름다운 바다의 황혼」
- 06. 드라마 「제4화 토산물 가게에서」
- 07. 엔딩 「안녕히 갑서!」
- 08. VIVA☆아쿠아리듬

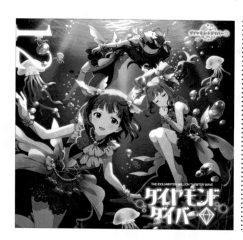

「다이아몬드 다이버◇」 등장 이벤트

プラチナスターツアー
Deep, Deep Blue

이벤트 정보

이벤트명
플래티넘 스타 투어 ～Deep, Deep Blue～

개최 기간
2020/8/19～2020/8/26

이벤트 곡
Deep, Deep Blue

보상 아이돌
타카츠키 야요이, 아마미 하루카

스토리

프롤로그
제1화 : Dive to blue!
제2화 : Feeling Blue.
제3화 : Blue splash!
제4화 : Red? Blue? Yellow?
제5화 : Out of the blue.
제6화 : Sea side blue.
에필로그 : Go to the Blue.

컬러풀한 물고기들의 아치를 빠져나와서

이번 유닛 콘셉트는 평온하고 밝은 바다. 어두운 해저에 밝은 빛을 전하는, 상냥하고 밝은 여름의 태양 같은 유닛을 만들기 위해 야요이, 하루카, 히비키 세 명을 선정했다.

하지만 야요이는 유닛에 참가하고 싶지만 「바다와 나」라는 주제의 여름방학 숙제를 아직 끝내지 못했다는 이유로 고민했다. 프로듀서는 바다의 이미지를 파악하기 위해 「일과 숙제를 같이 해버리자」라고 제안한다. 그리고 세 사람은 컬래버레이션 일을 위해 수족관으로. 히비키에게서 오키나와 바다에 대한 설명을 듣고 돌고래 쇼를 견학하면서, 야요이는 바다에 대해 조금씩 배워간다.

어느날, 프로듀서는 쇼핑몰 행사 구역에서 「여름방학 아동 공작 교실」 일을 하고 있던 로코, 츠무기와 만난다. 그리고 두 사람에게

도 야요이를 도와달라고 부탁한다. 로코의 조언은 전해지지 않았지만 카나자와에서도 바다 가까운 곳에 살았던 츠무기의 계절마다 다른 해산물 이야기는, 생선가게 일을 도운 적도 있었던 야요이의 관심을 끌었다.

그 뒤에 조금만 더 하면 될 것 같다는 야요이를 위해, 다 같이 하루카의 고향에 있는 바다를 보러 가기로 하는데, 태풍 접근과 스케줄 사정상 중지될 위기에 빠진다. 하지만 하루카와 히비키가 하룻밤 만에 댄스를 외워버린다든지 하면서 시간을 만들고, 다른 날에 갈 수 있게 됐다. 야요이는 답례로 모래사장에서 발견한 시 글래스를 선물한다. 거기서 프로듀서는 「야요이는 바다 그 자체가 아니라, 바다 가까이에서 사는 삶에 관심이 있는 게 아닐까」라고 추측했다. 야요이도 바다 근처에서 사는 사람과 물고기에 대

해서라면 이미지를 그릴 수 있을지도 모른다는 생각을 하게 된 것이다.

그리고 공연을 무사히 마친 세 사람은, 여름을 헤쳐나가기 위한 BBQ를 개최. 야요이는 가족이 바다 근처에 사는 모습을 상상하면서 그림을 그렸다고 말했고, 숙제와 일을 멋지게 양립하는 데 성공한다. 그리고 다음에는 다 같이 오키나와 바다에 가자는 꿈을 꾼다.

드라마 CD에서는 세 사람이 오키나와에 있는 낙도의 관광 대사로 선정되면서 실제로 오키나와를 즐기는 모습이 그려진다.

의상

●누적●

다이아몬드 다이버◇ ●아마미 하루카

음…… 기분 좋은 바람. 여기 바다,
이렇게 부드러운 바람이 부는구나…….
프로듀서 씨, 잠깐 같이 걸으실래요?
오늘 답례로, 정말 좋은 곳을,
가르쳐드릴게요.

●랭킹●

다이아몬드 다이버◇ ●타카츠키 야요이

와~ 저렇게 높이 뛰어 오르다니,
돌고래 씨 정말 대단해요~!
그리고 정말 똑똑하고!
트레이너 분 하는 말을 잘… 꺄악?!
……에헤헤♪ 물이 튀었어요!

다이아몬드 다이버◇ ●아마미 하루카 ＋

아, 돌고래들이,
우리 페이스에 맞춰주고 있어……
후훗, 정말 착하네.
응, 괜찮아. 에스코트해줘서 고마워.
조금 더 저기까지 가보자♪

다이아몬드 다이버◇ ●타카츠키 야요이 ＋

우와, 예쁜 물고기 씨가 잔뜩 있어요!
저를 친구라고 생각하는 걸까요?
봐요, 도망치지 않고 같이 놀아줘요♪
맞다, 물고기 씨도 해주려나?
하이 파이브~!

대사집

드로잉의 메소드가 아니라, 이매지네이션이 노 아이디어……? 으으음……?

이벤트 스토리 제4화에서. 로코가 야요이에게 「생각나는 대로 아무거나 그려버려」라고 조언해줬지만, 야요이는 바다의 이미지 자체를 떠올리지 못해서 고민하고 있었다….

Deep, Deep Blue

게임 내 재킷

저는, 저희 가족이 바다 가까운 곳에 살았으면 좋겠다고 상상해서, 그림을 그렸어요!

에펠로그에서, 미술 숙제를 무사히 끝낸 야요이. 선생님께 칭찬도 받았다고, 쑥스럽다는 듯이 웃어 보였다.

바닷바람 냄새와 바다에 반사돼서 반짝반짝 빛나는 빛을 보면, 정신이 번쩍 들어!

이벤트 스토리 제5화에서. 집 근처에 바다가 있어서, 일찍 일어난 날에는 해변을 산책했다는 하루카. 야요이는 눈을 반짝이며 그 이야기를 들었다.

봄에는 삼치랑 가자미…… 가을에는 방어, 겨울에는 게랑 새우. 제철 해산물이 식탁에 올라올 때마다, 계절을 느껴죠.

이벤트 스토리 제4화에서. 「해산물이 유명할지도 몰라」라며 카나자와 바다의 특징을 말하는 츠무기. 히비키도 「오키나와나 카나자와, 이번엔 비건 걸로 해야겠는데……!」라면서 칭찬했다.

아, 그럼 극장 근처에 바다는? 지금 야요이한테 제일 가까운 바다가 아닐까?

이벤트 스토리 제2화에서. 바다의 이미지를 떠올리지 못하는 야요이를 위해서 실제로 보러 가자고 제안하는 하루카.

본인도 하루카도, 야요이의 바다에 대한 기억을, 슬픈 걸로 만들고 싶지 않아! 그러니까……!

하지만 바다에 갈 스케줄을 확보하기 위해서 열심히 댄스 연습을 하는 세 사람.

이벤트 스토리 제6화에서. 태풍 때문에 하루카의 고향 바다에 못 가게 돼버린 세 사람.

진짜는 훨씬 대단해! 오키나와 바다는 최강이라니까! 아하하하하하!

이벤트 스토리 제3화에서. 오키나와 바다에 대해 말하는 히비키. 「바다는 마당이고, 놀이터고, 가족이 있는 곳이라는 느낌이려나……!」라는 말을 통해, 「고향을 소중히 여긴다는 점을 엿볼 수 있는 장면.

바다 근처에 살면, 매일 보물찾기를 할 수 있군요! 뭔가 정말 멋져요!

이벤트 스토리 제6화에서. 모래사장에서 시 글래스를 줍고서 감동하는 야요이. 이 발언이 바다의 이미지를 정하는 힌트가 됐다.

TIntMe!

TIntMe!

멤버

오오가미 타마키

나카타니 이쿠

스오 모모코

좀 더 어른이 돼서 당신한테 좋아한다고 말할 거야

CD정보

THE IDOLM@STER
MILLION THE@TER WAVE 13
TIntMe!

발매일

2021/1/27

수록곡

01. 프롤로그 「In the makeup room」
02. Arrive You ~그것이 운명이라도~
03. 드라마 「레슨 1 : Makeup Magic」
04. 드라마 「레슨 2 : Take courage!」
05. 드라마 「레슨 3 : With a radiant face」
06. 라일락에 둘러싸여
07. 에필로그 「Someday」

「TIntMe!」등장 이벤트

이벤트 정보

이벤트명
플래티넘 스타 투어 ~Arrive You~

개최 기간
2020/9/18~2020/9/26

이벤트 곡
Arrive You ~그것이 운명이라도~

보상 아이돌
오오가미 타마키, 나카타니 이쿠

스토리
프롤로그
제1화 : In no time.
제2화 : No way.
제3화 : No response.
제4화 : No afraid.
제5화 : No one else.
제6화 : No kidding.
에필로그 : No make.

꽃잎이 살랑, 하고 떠올랐어

신규 브랜드를 런칭하는 화장품 메이커측에서 765프로의 아이돌을 기용하고 싶다는 의뢰가 들어왔다. 메인 타겟은 중고생. 기용하는 멤버는 유닛을 만들어서 프티프라 코스메의 프로모션을 해야 하기에, 의외성을 노려서 타마키를 리더로 이쿠, 모모코까지 초등학생 3명을 선정했다.

첫 번째 일은 스틸 촬영. 이쿠와 모모코는 촬영하는 중에 타마키의 몸매가 좋다는 걸 알게 된다. 자신들도 질 수 없다고 분발하는 두 사람이지만, 그래도 타마키와의 키 차이가 조금이나마 신경 쓰였다.

다음으로 세 사람은 프티프라 코스메의 시제품을 테스트하기 위해 브랜드 살롱으로 이동. 이쿠와 모모코는 원래 메이크업 관련 지식이 있어서 잘 처리했지만, 거의 손대지 않아도 어른처럼 보이는 타마키를 보고 뭔가 생각에 잠긴 것 같았다.

그런 이쿠를 보고 신경이 쓰인 타마키는 프로듀서를 찾아간다. 그리고 같은 이유로 찾아온 모모코와 함께 시즈카, 줄리아, 프로듀서에게 이쿠의 분위기가 이상하다고 상담. 그 과정에서 타마키는 이쿠가 자기 몸매가 좋다는 걸 알고서 라이벌 의식을 품었다는 이야기를 듣고는 혼란에 빠진다. 줄리아는 「사양할 것 없이 있는 힘껏 부딪치는 게 좋다」라고 조언해줬다. 그러던 중에, 이쿠의 어머니에게서 이쿠가 아직 집에 돌아오지 않았다는 연락이 왔다.

열심히 돌아다녀서 간신히 이쿠를 찾아낸 타마키, 모모코, 프로듀서. 이쿠는 몸매가 좋은 타마키와 차분하고 어른스런 모모코를 질투했다는 사실을 밝혔고, 셋이서 속내를 털어놓으며 이야기했다. 그 결과, 고민

자체의 해결 방법은 알아내지 못했지만, 속마음을 밝히고 후련해진 세 사람. 프로듀서는 「이쿠의 말과 행동이 결과적으로 타마키를 리더로 만들었다」라고 말했다.

그리고 유닛의 레코딩 날. 어떻게 노래해야 좋을지 모르겠다는 타마키에게, 이쿠는 어른스런 사람을 참고해보라고 제안했다. 그런 모습을 보고, 모모코와 프로듀서는 그런 조언을 할 수 있는 점이 이쿠의 어른스런 부분이라고 칭찬했다.

드라마 CD에서는 세 사람이 메이크업 교실 이벤트에 참가. 메이크업에 관심이 있는 여자아이와 남자아이와의 교류를 그린다.

의상

●누적●

●랭킹●

TintMe! ●나카타니 이쿠

TintMe! ●오오가미 타마키

음…… 음…… 음…… 후우.
프로듀서 씨, 그거 아세요?
우유에는 영양이 잔뜩 들었대요!
이걸로 저도, 타마키한테 지지 않을 만큼
엄청난 몸매가 되겠죠! 에헤헤♪

잠깐만~! 이쿠, 그쪽으로 갔어!
놓치지 않을 거야~!
……잡~았다! 크흐흐♪
못된 모모코한테는 벌로 간질이기다~!
모모코, 어때? 항복할래?

TintMe! ●나카타니 이쿠＋

TintMe! ●오오가미 타마키＋

지금은 아직, 어린아이로 보일지도
모르지만……
나, 절대로 포기하지 않을 거야!
당신이 나를 봐줄 때까지, 절대로…….

어라…… 어떻게 된 거지.
왠지, 가슴이 따끔따끔 찌르는 것 같아…….
그 사람에 대해, 더 알고 싶어.
얼굴을 보고, 잔뜩, 이야기하고 싶어.
이게, 좋아한다는 감정이야……?

대사집

그렇구나…….
이쿠 마음, 난 조금 알 것 같아.

이벤트 스토리 제4화에서, 타마키에게 라이벌 의식을 가진 이쿠의 기분을 알겠다는 시즈카. 그뒤에 「부딪쳐 봐야만 알 수 있다는 것도 있다는 건 사실이야」라고 조용히 말한다.

같은 포즈를 했는데,
우리랑, 전혀 다르잖아…….

이벤트 스토리 2화에서. 촬영에서 포즈를 잡는 타마키가 생각보다 어른스럽게 보였다는 이쿠.

타마키는 이쿠의 마음 모르겠지만……
그러니까 이쿠의 마음, 타마키에게 알려줘!

이벤트 스토리 제4화에서 고민하는 이쿠에게 힘껏 부딪치는 타마키, 모모코도 동의한다.

뭐~?! 타마키, 반칙은 안 했는데~?!
아, 메이크업하시는 분이, 도와주시긴 했지만…….

이벤트 스토리 제3화에서. 메이크업을 받고 어른스러워진 타마키. 그걸 본 이쿠의 마음속에 라이벌 의식이 싹튼다.

하지만 난, 모르겠단 말이야! 어떻게 해야
두 사람처럼, 어른스러워지는지…….

이벤트 스토리 제5화에서. 타마키와 모모코에서 솔직한 마음을 털어놓는 이쿠.

게임 내 재킷

Arrive You
~それが涙だとしても~

음… 그러니까. 타마키, 생각했던 것보다
제대로 리더 역할을 하고 있는 게 아닐까?

이벤트 스토리 제5화에서, 이쿠의 분위기가 이상하다는 걸 알아차리고 해결하기 위해 행동하는 타마키를 칭찬하는 모모코. 타마키도 「모모코한테 칭찬받았다~ 크흐흐~」라며 좋아했다.

지고 싶지 않다고 생각하는 상대가
이렇게 가까운데 있는 건, 정말 대단한 일이거든?

이벤트 스토리 제4화에서. 뭔가 생각하고 있는게 있다면 큰마음 먹고 부딪쳐 보라고 타마키에게 조언하는 줄리아.

이렇게 가까운데 있는, 소중히 해야겠지.

그렇게 모모코네를 제대로 보고, 조언까지
해줄 수 있는 사람은, 어린애가 아닌 것 같은데.

이벤트 스토리 제6화에서. 주위 상황을 파악하고 냉정하게 판단할 수 있는 이쿠는 어린애같지 않다고 말하는 모모코.

TRICK&TREAT

헤매다 찾아온 비밀 파티

CD정보

THE IDOLM@STER
MILLION THE@TER WAVE 14
TRICK&TREAT

발매일

2021/2/24

수록곡

01. 오프닝 「웰컴 투 더 할러윈 블랙파티」
02. Black★Party
03. 드라마 「Trick01 : 웨어 이즈 뿌뿌카 푸딩 캔디?」
04. 드라마 「Trick02 : 트릭 오어 트리트?」
05. 드라마 「Trick03 : 미스터리 오브 블랙 할러윈」
06. 불가사의 트래블러
07. 엔딩 「네버 엔딩 할러윈」

각 아이돌의 새로운 매력을 끌어내는

「TRICK&TREAT」등장 이벤트

이벤트 정보

이벤트명
플래티넘 스타 투어
~Black★Party~

개최 기간
2020/10/20~2020/10/27

이벤트 곡
Black★Party

보상 아이돌
키타가미 레이카, 노노하라 아카네

스토리
프롤로그
제1화 : 비기닝★파티
제2화 : 뿟뿌카 푸딩★푸딩
제3화 : 웨이크업★아더 사이드
제4화 : 느닷없이★체인지
제5화 : 상냥한★파트너
제6화 : 프리덤★어게인
에필로그 : 렛츠고★퍼레이드

분명히 아직 모르는 신기한 일이 있을 거야

어떤 핼러윈 이벤트 기획 운영을 맡은 프로듀서가 앰배서더로 선택한 사람은 레이카와 아카네. 새로운 유닛을 맡게 된 두 사람인데, 레이카는 핼러윈은 물론이고 설날이나 크리스마스와 산의 날도 축하하자고 제안하고, 아카네는 절호의 비즈니스 찬스라는 것처럼 폭주하려고 한다.

아카네의 고급 딸기 푸딩이 평소처럼 냉장고에서 모습을 감출 무렵, 핼러윈 이벤트 한정 디저트로 레이카와 아카네의 얼굴 모양 푸딩인 「뿟뿌카 푸딩 푸딩」을 고안하는 레이카. 그 뒤에, 이벤트 CM 촬영 미팅에서도 황당한 제안을 해대는 레이카를 말리다 지친 아카네는 잠들어버리고 만다. 눈을 떠보니 그곳은 처음 보는 장소. 그리고 눈앞에 나타난 레이카가 아카네에게 물었다.

「자유롭고, 힘이 넘치고, 항상 아카네의 푸딩을 멋대로 먹어버리는 레이카」와, 「조신하고 상냥하고 아카네의 푸딩을 멋대로 먹지 않는 레이카」 중에 어느 쪽이 좋냐고. 하지만 아카네가 바란 것은 둘 중 하나가 아니라 「푸딩을 주는 레이카」였다.

눈을 뜬 아카네는 지금 있었던 일이 꿈이라고 생각하면서 안도했지만, 레이카의 분위기가 평소와 다르게 차분한 것 같다는 기분이 들었다.

핼러윈 이벤트 당일, 레이카의 이상한 분위기가 너무나 신경 쓰인 아카네는, 다시 한번 CM을 촬영했던 스튜디오로 갔다. 그런데 도착한 곳은 지난번 꿈속과 같은 장소. 아카네는 또다시 나타난 레이카에게 지난번 소원을 취소해달라고 부탁한다. 그리고

소원을 취소하는 대가로, 앞으로 계속 레이카가 푸딩을 먹어버리게 될 거라고 했지만, 아카네는 그 대가를 받아들였다.

그리고 눈을 뜬 아카네 앞에는 평소와 똑같은 레이카가 있었다. 아카네는 울면서 기뻐했고, 두 사람은 무사히 핼러윈 이벤트를 맞이한다.

드라마 CD에서는 실제 핼러윈 이벤트의 모습을 묘사하고, 이번에는 레이카가 기묘한 체험을 하게 된다.

의상

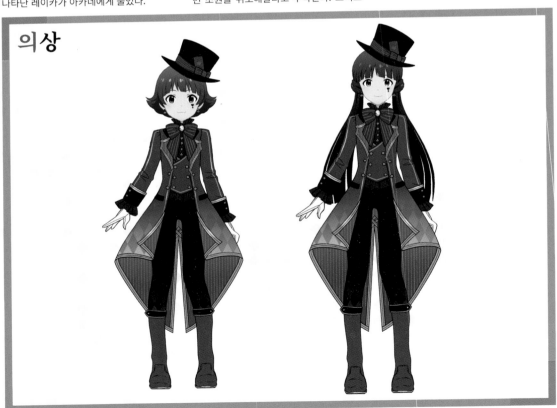

●누적●

TRICK&TREAT●노노하라 아카네

●랭킹●

TRICK&TREAT●키타가미 레이카

자유롭고, 힘이 넘치고, 항상 아카네의 푸딩을
멋대로 먹어버리는 레이카랑,
조신하고 상냥하고 아카네의 푸딩을
멋대로 먹지 않는 레이카?
어느 쪽이 좋냐고 해도…… 어~??

어… 왜 그래,
아카네? 갑자기 끌어안으니까 깜짝 놀랐잖아!
……뭐야. 아카네 너무 이상하다.
무슨 일인지는 잘 모르겠지만,
정말 불안했나보구나. 그래, 그래♪

TRICK&TREAT●노노하라 아카네＋

TRICK&TREAT●키타가미 레이카＋

훗훗훗…… 와버렸네요?
헤매다가 여기 왔구나?
안 됐네요~ 다시는 원래 세계로 돌아가지 못해!
그 대신, 아카네랑 레이카가 당신을
정~말 신나게 해줄 테니까!

어서오세요, 우리의 신비한 파티에♪
아주 뒤숭숭하고 아주 떠들썩하지만,
용서해주실 거죠? 왜냐하면 오늘은,
죽은 이도 돌아다니는 핼러윈이니까.
무슨 일이 일어날지…… 모르겠죠? 우후훗♪

각 아이돌의 새로운 매력을 끌어내는

대사집

레이카는, 정말 착실해요.
저보다 어린데, 아주 차분하고…….
그리고 말이죠~. 조신하고, 눈치도 빠르고…….
그 정도면 학교에서도 인기 좋을 거예요!

이벤트 스토리 제4화에서. 레이카가 평소와 다르다고 주장하는 아카네게, 후우카와 리오는 평소와 똑같다고 대답한다.
아카네를 더 당혹스럽게 만드는 대사.

자, 아카네.
간식으로 「아카네 푸딩」。
이거 먹고, 힘내자!

아카네의 푸딩을 주는 것만 봐도 뭔가 이상하다는 걸 알 수 있다.

이벤트 스토리 제5화에서. 아카네의 소원에 따라 나타난 평소와 다른 레이카.

게임 내 재킷

아, 물론 내 푸딩도 만들어줘! 두 개가
같이 있어야 「뿟뿌카 푸딩 푸딩」이니까 말이야♪

이벤트 스토리 제2화에서. 핼러윈 이벤트 한정 디저트는 두 사람의 얼굴을 본딴 푸딩으로 하자고 제안하는 레이카. 담당자한테는 의외로 호평이었다.

좋아! 내 푸딩 정도는 줄게! 그러니까
……그러니까 원래 레이카로, 되돌려줘——!!

이벤트 스토리 제6화에서. 좋아하는 푸딩과 레이카, 그 둘을 저울로 잰 뒤에, 아카네는 레이카를 선택한다.

그런가? 그럼그럼 오늘 우리는
「감동 뿌카 푸딩」이네♪
렛츠 고~!

에필로그에서. 아카네가 어디까지나 따라와 주니까, 즐거운 일을 마음껏 할 수 있다고 전한 결과, 아카네가 「감동이야」라고 대답하자 레이카가 보인 반응.

아카네랑 레이카가 메인 기획……
이런 절호의 비즈니스 찬스,
절대로 놓쳐선 안 되겠죠♪

이벤트 스토리 제1화에서. 아카네는 사무소 몰래 새로운 아카네 인형을 잔뜩 발주하려고 하지만, 리츠코가 그 야망을 산산이 부숴버렸다.

다행이야……정말로, 다행이야……!!
훌쩍……우에에에~엥! 삐에에~!!

이벤트 스토리 제6화에서. 소원을 취소하고 깨어난 아카네의 앞에는 평소의 레이카가 있었다.
아카네는 결국 울어버린다.

좋아해
그 말로 다시 시작하자

멤버

토코로 메구미

마츠다 아리사

야부키 카나

CD정보

THE IDOLM@STER
MILLION THE@TER WAVE 16
≡키미도리≡

발매일
2021/4/21

수록곡
01. ReTale
02. 드라마「Stage01：Restart」
03. 드라마「Stage02：Reunion」
04. 드라마「Stage03：Reconnect」
05. 드라마「Stage04：Realize」
06. 드라마「Stage05：Relive」
07. 빵과 필름
08. 드라마「Off Stage：Remember」

「≡키미도리≡」등장 이벤트

이벤트정보

이벤트명
플래티넘 스타 투어 ~ReTale~

개최 기간
2021/2/18~2021/2/25

이벤트 곡
ReTale

보상 아이돌
토코로 메구미, 마츠다 아리사

스토리
프롤로그
제1화 : 1st Track 선율에 이끌려
제2화 : 2nd Track 여기 모여라
제3화 : 3rd Track 청춘 이모션
제4화 : 4th Track 너희들만의 스피드로
제5화 : 5th Track Girls don't stop
제6화 : 6th Track 사로잡으라
에필로그 : Bonus Track 내일도 분명히

하늘은 변함없이 거기에 있고

이번 유닛의 테마는 밴드. 프로듀서는 줄리아와 시즈카의 영향으로 피아노 레슨을 받기 시작한 메구미에게 밴드를 해보지 않겠느냐고 제안한다. 초보자라서 방해만 될 거라고 말하는 메구미에게, 같은 초보자끼리 하면 된다고 말하는 시즈카. 그리고 줄리아가 자신의 제일가는 제자라고 데리고 온 사람은 기타 초보자 카나였다.

리듬 파트를 찾고 있는데, 어디선가 비트박스 소리가 들려왔다. 그 소리의 정체는 아리사였다. 그리고 「여러분을 받쳐주는 저음은 아리사가 맡겠습니다」라고 말하면서 밴드 참가 의사를 표명했다. 아리사는 친구들과 밴드를 한다는 「엄청 감동적인 청춘 반짝반짝 체험」을 맛보고 싶었다고 했다. 「밴드 활동으로 잃어버린 청춘을 되찾겠어요」라고, 살짝 흥분해서 말했다.

다음날, 비트박스를 연습했지만 마음대로 안 된 아리사는 어머니의 조언을 받아서 드럼 패턴과 베이스를 입력한 트랙을 가지고 왔다. 그 트랙을 듣고 대단하다고 칭찬하는 카나와 메구미. 아리사가 DJ를 맡으면서, 겨우 3인 밴드를 시작했다.

하지만 셋이서 연습을 해도 왠지 순조롭지가 않았다. 그러던 중에, 세 사람은 프로듀서에게 「실수를 하더라도 웃는 얼굴로 끝까지 하는 것이 무대에 서는 사람에게 필요한 정신」이라고 배웠다. 50% 속도로 간신히 한 곡을 완주하고서 감동에 부들부들 떠는 세 사람에게, 첫 라이브가 정해졌다는 연락이 들어왔다.

드디어 라이브 당일. 상대 밴드 멤버가 자신들의 연주를 서툴다고 험담하는 것을 들은 아리사와 프로듀서는, 메구미와 카나에게

도 상담하기로 했다. 세 명은 자신감을 잃을 뻔했지만, 프로듀서는 「오늘 세 사람을 보러 오는 사람들은 평소에 극장에 오던 손님들이고, 열심히 노력하는 아이돌의 모습을 좋아한다. 그러니까 밴드로 빛나는 모습을 보고 싶어서 오는 것이다」라는 말로 응원해줬다. 그렇게 세 사람은 험담 따위는 신경쓰지 않고 자신들이 할 수 있는 최고의 연주를 하기로 맹세했고, 무대로 향했다.

드라마 CD에서는 폐점하는 라이브 하우스에 사람들을 부르기 위해, 세 사람이 분투한다.

의상

●누적●

●랭킹●

≡키미도리≡ ●마츠다 아리사

붐 칙칙붐…… 붐 칙…… 응?
뭔가 아닌 것 같은데.
붐 칙 부…… 뭐야 카나!
아리사, 이래봬도 진지하게 하는 거니까
웃지 말아줘요!

≡키미도리≡ ●토코로 메구미

어, 어라?
여기는 어느 손가락으로 쳐야 하더라?
음~ 곡은 확실하게 외웠는데 말이야…….
뭐 어때! 하다 보면 익숙해지겠지 ♪
에헤헤, 즐거워지기 시작했어!

≡키미도리≡ ●마츠다 아리사＋

메구미, 카나……
다 같이 열심히 연습했잖아요…….
아리사도, 멋지게 해낼게요!
자, 오늘은 우리의 멋진 모습을
잔뜩 보여주도록 해요!

≡키미도리≡ ●토코로 메구미＋

저기 카나, 아리사.
나도 내 마음이나 전하고 싶은 것들을
가능한 피아노 소리에 실어볼게.
어때? 우리 음악으로……
전할 수 있을까? 진심이라는 걸!

각 아이들의 새로운 매력을 끌어내는
765 **프로 라이브 시어터의 궤적4**

대사집

속도를 올리니까 연주가 헤롱헤롱~♪
실수가 잔뜩잔뜩~ ……♪

이벤트 스토리 제4화에서. 줄리아한테서 「악기 소질이 있다」고 칭찬받은 카나. 기타는 아직 어렵지만 특기인 노래는 절호조.

오늘 라이브가 끝나면,
그런 게 없어지는구나~ 라고
생각했더니,
뭔가 확~ 하고
와서.

에필로그에서. 어퍼러 다니 맏은 밴드였지만, 눈물이 많은 메구미는 이것이 끝이라는 생각에 눈물이 글썽이고 만다.

그렇구나. ……그럼, 우리가 지금부터
악기를 시작해도, 잘 할 수 있을까?

이벤트 스토리 제1화에서. 줄리아의 기타, 시즈카의 피아노를 보고 악기에 관심이 생긴 것 같은 메구미.

예에에!
아리사는 이 밴드 활동으로
잃어버린 청춘을 되찾아
보이겠어요~!……으흐흐♪

이벤트 스토리 제3화에서. 아리사에게 친구들과의 밴드 활동은 꿈꾸던 청춘 중에 하나였다.

그런데 밴드를 시작해 보니… 다 같이 연주하는 게,
상상보다 100배 정도는 즐거웠어요!

이벤트 스토리 제5화에서. 처음에는 혼자서 노래할 때 편리할 것 같다는 이유로 기타를 시작한 카나였지만, 점점 밴드의 즐거움을 깨닫게 된다.

메구미랑 카나랑 밴드 활동했던 날들은,
아리사의 청춘의 한 페이지로 새겨놓을 거예요~!

에필로그에서. 이렇게 아리사는 「엄청 감동적인 청춘 반짝반짝 체험」을 거쳐서, 잃어버린 청춘을 되찾았다(?).

그런데 그런데, 메구미 씨라면 문제없어~♪
즐거운 밴드를 하고 싶어~♪ 기대된다~♪

이벤트 스토리 제2화에서. 갑자기 줄리아가 「밴드 하자」고 데려와서 불안했던 카나지만, 상대가 메구미라는 걸 알고는 안심하고 노래한다.

게임 내 재킷

우리를 응원해주는
손님들을 위해서라도,
오늘은 화끈하게 터트려보자!

이벤트 스토리 제6화에서. 모르는 사람들이 뭐라고 하건, 우리는 열심히 했다. 오늘은 그것을 한껏 터트릴 뿐이라고 힘을 되찾은 메구미.

ARMooo

멤버

후타미 마미

아키즈키 리츠코

후타미 아미

예상 이상으로 초대
신나게 놀아봐 YO!

CD정보

THE IDOLM@STER
MILLION THE@TER WAVE 17
ARMooo

발매일

2021/5/26

수록곡

01. 프리스타일 톱 아이돌!
02. 오프닝「Battle01：Crazy beat」
03. 드라마「Battle02：Attack of the dancer & artist」
04. 드라마「Battle03：Hellow,my men」
05. 드라마「Battle04：Radio cassette player」
06. 웨이 더 아이돌
07. 드라마「Battle05：Want to play with…」

「ARMooo」등장 이벤트

프라치나스타 츠아 프리스타일 톱 아이돌!

이벤트 정보

이벤트명
플래티넘 스타 투어
~프리스타일 톱 아이돌!~

개최 기간
2021/3/19~2021/3/25

이벤트 곡
프리스타일 톱 아이돌!

보상 아이돌
후타미 마미, 아카츠키 리츠코

스토리

프롤로그
제1화 : Yeah 체키라웃 개시
제2화 : 알려줘YO 리츠코 선생님
제3화 : 아~이! 지옥의 래핑
제4화 : Hot & Cool한 사이퍼
제5화 : 자매 a.k.a. 라이벌
제6화 : MC MC 리버사이드
에필로그 : 칠 아웃 Theater

하지만 넌 '아이돌'이잖아?

765프로 라이브 극장이 선사하는 다음 유닛 콘셉트는 프리스타일 랩. 기존 아이돌의 틀을 깨트리길 기대하면서 선출한 멤버는 아미, 마미, 리츠코 세 사람. 신이 난 아미 마미와 다르게 리츠코는 꼼꼼하게 조사하기 시작한다.

힙합은 즉흥적으로 리듬에 맞춰서 랩을 하는 MC, 비트를 연주하는 DJ, 아크로바틱한 움직임의 브레이크 댄스, 스프레이 등으로 아트를 그리는 그래피티, 이런 4가지 요소로 성립되는 스트리트 문화라고 설명하는 리츠코. 그리고 댄스는 아유무, 아트는 로코, 패션은 미사키. 이런 전문가들의 도움을 받으며, 자신들은 열심히 MC 트레이닝을 한다.

그 뒤에, 연습이 생각대로 진행되지 않자, 세 사람은 휴식하러 갔던 공원에서 사이퍼를 하고 있는 스트리트 래퍼들과 만난다. 깜짝 참전한 아미와 마미를 말리려는 리츠코를 보고, 래퍼 한 사람이 당황한다. 아무래도 래퍼는 리츠코의 팬이었던 것 같고, 그 마음을 랩에 실어서 리츠코에게 전한다. 리츠코는 래퍼들과의 만남을 통해서 중요한 것은 머리로 생각하는 것이 아니라 필링이라는 것을 배워간다.

이렇게 해서 점점 뭔가를 느끼는 리츠코. 한편 마미는 자신의 랩 스타일이 아미와 겹친다는 게 신경 쓰여서, 혼자서 몰래 연습하고 있었다. 프리고 프로듀서와의 랩 훈련을 거쳐서 자신만의 스타일을 찾아낸 마미는, 아미와 대결하기로 결심한다.

마미와 아미, 쌍둥이의 리얼한 자존심을 건 진지한 승부가 시작됐다. 그런데 중간에 막혀버린 아미는 마미를 때리고 만다. 그리고

마미도 아미에게 반격하지만, 리츠코가 「폭력이 아닌 다른 배틀로서 탄생한 것이 힙합」이라고 달래자, 상대를 리스펙트하는 정신을 배운다.

드라마 CD에서는 음파를 맞으면 랩 배틀이 하고 싶어진다는 특수한 비트를 방출하는 카세트 플레이어에, 아이돌들이 농락당하는 모습을 그렸다.

의상

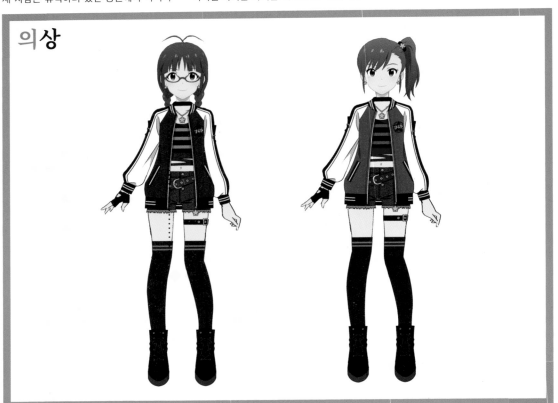

보상 카드

●누적●

ARM000●아키즈키 리츠코

헤이헤이헤이 아유무!
아, 로코도 잠깐 괜찮을까? 이거?
의상 연구 중인데,
정통파 래퍼처럼 보이지♪
……너무 투박해? 어, 안 된다고?!

●랭킹●

ARM000●후타미 마미

오빠가 마미랑 승부해줄 거야?
그럼 진심으로 상대할 거니까!
내 말은 정론, 이론, 아이언 YOU는 사이폰
컴온 페로몬 걷는 모습은 삽겹살맨…… 응?

ARM000●아키즈키 리츠코＋

쿨하고 지적으로 군림하는 서전트
더 이상 적이 없는 무적의 트리니티
우리한테 도전은 목숨 아까운 줄 모르는
브레이브, 좋다, 최고
받아주겠어 보여주겠어 최고의 스테이지!

ARM000●후타미 마미＋

마이크 첵 원 투 YO
다들 눈을 떠 웨이크 업 피플
마미도 아미도 서전 리츠코도
지금이 바로 각성할 때 파워를 해방하고
진실의 아이돌, 그 빛에 눈을 떠

대사집

컬래버레이션이라는 건, 그런 거라고 생각해요.
서로 부딪치면서 새로운 아트가 태어나는 거죠♪

에필로그에서. 서로에 대한 이해를 소중히 여기면서 싸우는 래퍼의 이야기를 듣고, 로코가 아티스트답게 한 마디.

오늘 사이퍼가 너무 재미있어서, 미처 몰랐어.
마미의 적은 릿쨩이 아니라…… 아미일지도.

이벤트 스토리 제5화에서. 랩 스타일은 같은데 아미의 플로우가 더 능숙하다고 고민하는 마미.

마미는 오빠의 시체를 넘어서서 갈 거야! 그럼!!
아미한테도 이길 수 있어! 지금부터 결투다~!

이벤트 스토리 제5화에서. 프로듀서와의 훈련을 뛰어넘어 자신만의 랩 스타일을 찾아낸 마미. 가자, 결전지로.

그거 말인데…… 이 카세트, 가끔씩 갑자기 목소리가 들리고는 하거든. 꽤, 괜찮을까……?

에필로그에서. 계속 상태가 안 좋다고 하던 아유무의 카세트. 드라마 CD에서는 이 카세트를 중심으로 이야기가 전개된다.

스트리트의 리얼이라는 거지,
재미있겠다~! 그래!
우리도 한 번 참가해볼까?

이벤트 스토리 제4화에서. 사이퍼에 깜짝 참가하는 아미 일행. 아미의 겁 없는 행동 덕분에 리츠코는 힙합의 본질을 깨닫게 된다.

머리로 너무 생각하는 건 fool.
필링으로 도전하면 Peaceful!

이벤트 스토리 제4화에서. 스트리트 래퍼와의 만남을 통해 힙합이 무언지를 마음으로 이해한 리츠코.

그렇게 태어난 게 힙합,
그리고 랩이야.
너희 둘 싸움은 어떤 거야?
페이크? 리얼..

이벤트 스토리 제6화에서. 랩 배틀 중에 서로를 때려버린 마미와 아미에게 「폭력이 아닌 다른 배틀로서 태어난 것이 힙합」이라고 타이르는 리츠코.

어, 자, 잠깐만 마미!
고릴라는 반칙이잖아?

이벤트 스토리 제6화에서. 랩 배틀을 벌이는 마미와 아미.
「우후후~♪」를 뛰어넘어 우호홋~♪하고 고릴라 랩을 피로하는 마미를 보고 곤혹스러워하는 아미.

게임 내 재킷

스트로베리 팝 문

자ㅁ베리-포ㅂ프ㄴ

멤버

카스가 미라이

모가미 시즈카

이부키 츠바사

찾아낸 것은
같이 보고 싶은 경치

CD정보

THE IDOLM@STER
MILLION THE@TER
WAVE 18
스트로베리 팝 문

발매일

2021/6/23

수록곡

01. 드라마「Stage01：시작」
02. 드라마「Stage02：어떤 조우」
03. 드라마「Stage03：선택하는 것」
04. 드라마「Stage04：우리들의 무대!」
05. ABSOLUTE RUN!!!
06. 드라마「Stage05：정점의, 그 앞에서」
07. Be proud

「스트로베리 팝 문」 등장 이벤트

플래티넘 스타 투어 〜ABSOLUTE RUN!!!〜

이벤트 정보

이벤트명
플래티넘 스타 투어 〜ABSOLUTE RUN!!!〜

개최 기간
2021/4/18〜2021/4/26

이벤트 곡
ABSOLUTE RUN!!!

보상 아이돌
카스가 미라이, 모가미 시즈카

스토리
프롤로그
제1화 : 그랑프리를 향해
제2화 : 각자 목표하는 것
제3화 : 동떨어진 마음
제4화 : 동료이면서, 라이벌
제5화 : 마음을 하나로!
제6화 : 스포트라이트 밖에서
에필로그 : 아이돌의 재능

만남의 숫자만큼 태어난 희망에, 고마워요

전세계 아이돌을 대상으로 하는 이벤트 「넥스트 아이돌 웨이브」. 그랑프리를 차지하면 세계 데뷔가 약속되기 때문에, 수많은 아이돌이 참가하는 이벤트다. 765프로의 참가팀 수는 세 팀 뿐이기에, 사무소 내부 오디션을 개최하기로 했다.

미라이, 시즈카, 츠바사로 구성된 유닛은 이 오디션 결과를 통해 유닛의 센터도 정하기로 했다. 하지만 미라이는 시즈카와 츠바사한테는 이길 수 없으니까 센터는 될 수 없다고, 속 편하게 생각하고 있었다.

어느날 레슨을 마친 시즈카에게, 미라이가 「어째서 아이돌이 되려고 생각했는지」 묻는다. 하지만 미라이는 「잘 기억나지 않는다」라고 애매하게 대답. 목적도 없이 아이돌을 계속하고 있는 미라이에게, 시즈카는 더 큰 무대에서 노래하기 위해 자신의 가능

성을 믿고 싶다는 생각을 밝힌다.

이대로 가면 힘들지도 모른다고 풀죽은 미라이는, 유리코와 안나의 조언을 듣고 시즈카에게 버림받지 않기 위해 연습하기로 결의한다. 한편 시즈카는 점점 실력이 늘어가는 미라이와 츠바사를 보고 초조해져서, 과도하게 연습을 하고 말았다.

그리고 사무소 내부 오디션 당일. 성장한 다른 유닛들을 본 츠바사는, 「이기려면 세 사람의 마음을 하나로 만드는 수밖에 없다」라고 결의한다. 그리고 「시즈카와 츠바사에게 버림받고 싶지 않아. 같이 그랑프리를 목표로 하자.」고, 기백이 넘치는 미라이를 본 시즈카는, 두 사람을 믿고서 오디션에 도전한다.

오디션 결과는 3위. 센터는 미라이에게 양보했지만 그랑프리는 자신이 차지하겠다며

의욕을 보이는 시즈카와 츠바사. 그리고 드디어 「넥스트 아이돌 웨이브」 당일. 엄격한 심사를 통과하고 최종 선고까지 진출한 미라이와 멤버들이지만, 아쉽게도 패배하고 말았다. 이 분한 마음을 힘으로 바꿔서 다음에는 꼭 우승하겠다고 맹세하며, 앞으로 나아가기 위해 연습을 계속하는 세 사람.

드라마 CD에서는 「넥스트 아이돌 웨이브」에서 퍼포먼스를 선보이는 세 사람의 모습이 그려진다.

의상

●누적●

스트로베리 팝문 ●모가미 시즈카

미안하지만 츠바사한테도 미라이한테도,
센터는 양보하지 않을 거야.
난 센터가 돼서, 넥스트 아이돌 웨이브
그랑프리를 차지할 거니까……!
그러기 위해서라도…… 절대로 질 수 없어!

●랭킹●

스트로베리 팝문 ●카스가 미라이

나, 더 열심히 하고 싶어!
하지만 뭘 어떻게 해야 좋을까. 츠바사는 알아?
시즈카는…… 응. 모른다면,
시험 삼아 해보는 수밖에 없겠지. ……좋았어!
나, 절대로 지지 않아! 둘을 따라갈 거야!

스트로베리 팝문 ●모가미 시즈카＋

뭐야…… 둘 다, 그만 웃어! ……후훗,
그렇게. 나도 웃고 있네. 나, 미라이랑 츠바사가
있어서, 여기까지 올 수 있었어.
그러니까 두 사람과 함께라면 앞으로도……
어디까지건, 달려갈 수 있을 것 같아!

스트로베리 팝문 ●카스가 미라이＋

아하핫♪ 두 사람이 있어줬기 때문에,
생각보다 훨씬, 훨~씬 먼 곳까지
올 수 있었던 것 같아!
이대로 계속, 셋이서 달려갈 수 있을까?
……그럼, 어디까지 갈 수 있을지, 같이 경쟁하자!

대사집

게임 내 재킷

ABSOLUTE RUN!!!

센터나 리더는, 주위를 잘 살펴봐야만 하는 거잖아? 나, 잘 보고 있어~

이벤트 스토리 제3화에서. 미라이와 시즈카의 분위기가 이상하다고 프로듀서에게 전하는 츠바사. 그러면서 자신을 센터로 삼아달라는 어필도 빼놓지 않았다.

무대에 서 있던 때부터, 미라이를 도저히
이길 수 없다는 걸. 알고 있는데, 그래도, 분해……!

이벤트 스토리 제6화에서. 사무소 내부 오디션 결과, 미라이에게 센터를 양보한 시즈카. 그 분한 마음을 힘으로 삼아 그랑프리 우승을 목표로 삼는다!

알겠습니다! 이번에는 꼭, 저희가 우승할게요! 시즈카, 츠바사, 다음엔 꼭 해내자!

에필로그에서. 이번 「넥스트 아이돌 웨이브」에서는 아쉽게도 패배했지만, 다음에는 꼭 셋이서 우승하자고 열심히 연습하는 미라이.

응. 극장은 대가족 같은 게 아닐까? 운명공동체, 라는 그런 것.

이벤트 스토리 제4화에서. 미라이와 시즈카가 엇갈리고 있다는 말을 들은 하루카는, 「아무리 싸운다고 해도, 동료하고는 헤어질 수 없어」라고 말한다.

솔직히 말해서, 아마도 난,
시즈카랑 츠바사한테는 못 이길 것 같거든~.

이벤트 스토리 제1화에서. 시즈카, 츠바사와 유닛을 만드는 건 기쁘지만, 「난 센터가 아니라고」라고 말하는 미라이.

난 좀 더, 내 가능성을 믿고 싶어. 더 큰 무대에서 노래하고 싶어.

이벤트 스토리 제2화에서. 아이돌을 계속할 목적이 보이지 않는 미라이에게, 시즈카는 자신의 생각을 말한다. 「그리고 언젠가, 헤어지게 될지도」라고 혼잣말.

그렇다면……. 우리가 이기려면, 셋이 마음을 하나로 뭉치는 수밖에 없어! 그렇지?

이벤트 스토리 제5화에서. 오디션에서 성장한 코토하네 유닛을 본 츠바사가 한마디. 세 사람의 마음이 하나가 되어간다.

그래도, 정말, 열심히 할 거니까! 나랑 같이 이 오디션에서 이기고, 그랑프리를 차지하자!

이벤트 스토리 제5화에서. 시즈카와 츠바사에게 뒤처지기 싫다고 말하는 미라이. 그 말을 듣고 시즈카도 「우리는 꼭 할 수 있다」라며 각오를 다진다.

chicAAmor

멤버

타카야마 사요코

토요카와 후우카

줄리아

니카이도 치즈루

진짜 당신을 보여줘요

CD정보

THE IDOLM@STER
MILLION THE@TER WAVE 15
chicAAmor

발매일

2021/12/15

수록곡

01. 드라마 「전채 : 주방에서 사랑을 담아」
02. 심홍의 파시온
03. 드라마 「메인 디시 1 : 혼돈의 토르티저」
04. 드라마 「메인 디시 2 : 정열의 빠에야~」
05. Paradox of LOVE
06. 드라마 「디저트 : 입가심 한 스푼」

「chicAAmor」등장 이벤트

이벤트 정보

이벤트명
플래티넘 스타 투어
~심홍의 파시온~

개최 기간
2021/10/2~2021/10/9

이벤트 곡
심홍의 파시온

보상 아이돌
타카야마 사요코, 토요카와 후우카

스토리

프롤로그
제1화 : 정열의 시작
제2화 : 정열의 망설임
제3화 : 정열은 갑작스레
제4화 : 정열의 깨달음
제5화 : 정열의 출발점에서
제6화 : 정열적으로, 제멋대로
에필로그 : 정열의 답례

밤새워 춤춰봐요

사요코, 후우카, 줄리아, 치즈루로 구성된 유닛 chicAAmor의 극장 공연이 정식으로 결정됐다. 정열적인 리듬의 플라멩코를 테마로 삼은 유닛이기도 해서, 네 사람의 의욕은 충분했다. 스페인의 이미지를 키워가기 위한 회의에서도 아히요와 와인, 투우와 플라멩코 기타 등, 네 명에게 딱 맞는 이미지가 술술 나왔다.

댄스 레슨에서는 사요코와 줄리아가 고전했지만, 후우카와 치즈루는 지금까지의 경험을 살려서 잘 처리해나갔다. 그러던 중에 곡 제목과 가사가 정해졌다는 소식이 들어왔다. 곡명은 「심홍의 파시온」. 가사가 너무나 정열적인 탓에 일동은 주눅이 들었지만, 진짜를 보면 뭔가 얻는 게 있지 않을까라는 생각에, 플라멩코를 감상할 수 있는 스페인 음식점에 갔다.

가게 일을 도우면서 실제로 플라멩코를 본 네 사람은 사랑과 정열에 대해 배우고, 무대에 깜짝 참가. 아이돌로서의 정열로 가게의 분위기를 달아오르게 했다.

돌아오는 길에 본고장의 플라멩코에 압도당한 사요코는, 자신의 부족한 점이 무엇인지 고민했다. 또한 「사랑을 느끼는 것이 최고의 정열」이라는 가게 주인의 말을 되풀이해봤지만, 「사랑」이 뭔지도 모르겠다. 하지만 줄리아와 연애 이야기를 하려고 해본 결과, 모르는 감정이라도 공감은 가능하다는 사실을 깨닫는다. 아이돌과 록에 관한 생각, 추구하는 감정이 파시온이 되었다.

한편 후우카는 자신이 유닛의 최연장자로서 너무나 부족하다고 생각했지만, 치즈루와 이야기한 덕분에 플라멩코를 추기 위해 중요한 것은 마음을 드러내는 점이라는 사실을 깨닫는다.

이렇게 해서 네 사람은 마음을 불태우면서 최종 조정을 마치고, 무대 위에서 멋지게 정열적인 불꽃을 불살랐다.

드라마 CD에서는 생방송 요리 프로그램 「열혈 키친!」에 출연한 chicAAmor가 스페인 요리를 만드는 모습을 그렸다.

의상

●누적●

●랭킹●

chicAAmor●토요카와 후우카

chicAAmor●타카야마 사요코

가, 갑자기, 무대로 올라오라니,
깜짝 놀랐네….
그런데, 정말 후끈하게 달아오른 것 같아!
치즈루는, 괜찮아? 그럼…….
다 같이 더 뜨겁게 만들어볼까!

(뭐?! 줄리아……!
그런 걸, 어떻게 대답하겠어?
줄리아야말로 어떤데? 정말……. 그리고,
그건 말로 표현할 수가 없어.
이렇게…… 애매하니까…….)

chicAAmor●토요카와 후우카＋

chicAAmor●타카야마 사요코＋

이 댄스에, 제 정열과 사랑을 담겠어요!
부끄러움이나 망설임은 무대 밖에 두고 왔습니다.
그러니까 당신도…… 오늘 밤은 전부 잊고서,
저희와, 정열적으로 즐겨보시겠어요?

정열은 마음속 깊은 곳에서 타오르는 것.
감추려고 해도 감출 수 없어.
그건, 내가 어떻게 할 수 있는 게 아니야…….
그렇다면, 전부 보여줄 뿐!
우리의 모든 것을, 느껴주세요!

대사집

어느 한 사람의 아모르를 받아들이는 건, 아직 일러.
좀 더 많은 사람들에게, 아모르를 전하고 싶으니까.

에필로그에서. 점주에게서 아모르를 선물 받을 때 사요코의 대사.
이 뒤에 아이돌로서 아모르를 돌려드리고 싶다며, 일동은 무대로 올라갔다.

좋네요, 스페인 문화도
접해볼 수 있을 것 같고.
지나가던 셀럽으로서도,
넘어갈 수 없어요!

치즈루는 특기인 요리 실력을 발휘해서 도와준다.
이벤트 스토리 제 3화에서, 아르바이트가 안 와서 곤란해하는 스페인 요리점을 위해,

게임 내 재킷

그걸 내놓으면, 틀림없이 다른 여러 가지도.
뭐든지 용기를 낼 수 있을 것 같아!

이벤트 스토리 제5화에서. 플라멩코에서는 아직 자신의 기분을 제대로 드러내지 못했다고 하는 후우카. 좀 더 마음을 드러내기로 결심한다.

역시~?! 으으, 경험을 살릴 수 있는 건 기쁘지만
……역시 섹시한 일은, 자제해야 하려나……?

칭찬받고서 부끄러워하는 후우카.
이벤트 스토리 제 2화에서. 사요코, 줄리아, 치즈루에게서 자신의 플라멩코에 대해 「어른의 매력」, 「섹시」라고

저기, 줄리아. 사랑이란 뭘까…….
나, 알고 싶어……. 사랑을 알고싶어!

이벤트 스토리 제4화에서. 플라멩코에 필요한 것은 사랑과 정열. 그래서 사요코는 사랑이란 뭔가를 생각하게 됐다.

그래. 그러니까, 내가
무대에서 연기하는 건……
거짓말을 하는 게 아니라,
마음을 드러내는 거야.

이벤트 스토리 제5화에서. 지금까지의 역할은 자신과 가까운 부분을 찾아서 부풀리며 연기해왔다고 말하는 치즈루.

아하하, 좋네!
이럴 때는 하는 사람이 이기는 거야.
우리 무대를 보여주자고!

이벤트 스토리 제3화에서. 스페인 요리점에 무대에 깜짝 참가하는 네 사람. 아이돌로서의 정열을 무대에서 발휘한다.

라이브에서도 노래에서도, 록에서도 아이돌에서도!
거기에 걸고 있는 마음은, 우리도 절대 지지 않아!

이벤트 스토리 제4화에서. 줄리아는 사요코와의 대화를 통해서 사랑과 정열에 대해 이해한다. 「바라는 마음이 파시온이구나!」라고, 사요코도 공감.

키도 ○ 부키

IBUKI KIDO

키도 이부키

11월 14일생. 일본 아오모리현
출신. 「아이돌마스터 밀리언
라이브! 시어터 데이즈」에서는
야부키 카나를 맡고 있다. 주요
출연작은 「아이카츠 프렌즈!」
미나토 미오, 「에로망가 선생」
진노 메구미, 「마법과 고교의
우등생」 츠쿠시인 토우코 등.

촬영 : 무라카마 쇼고
헤어 메이크 : 나가부치 후미에
인터뷰 : 코우메 맛챠

취미는 「뭐든지 노래로 만드는 것」, 특기는 「합창」. 노래를 좋아하는 카나는 밝고 힘찬 아이돌. 그 독특한 노랫소리에는 가창력과 또
다른 매력이 담겨 있어서, 주위 사람들을 저절로 웃게 만든다. 그런 카나와 10년 가까이 함께 걸어 온 키도. "「밀리언 라이브!」는 제
인생에서 없어선 안 될 존재"라고 말하는 그녀의 이야기를 들어보자.

——키도 씨는 학생 때부터 「밀리언 라이브!」에 관여하고 계시죠.

키도 예. 오디션을 본 게 중학교 3학년 즈음이었어요. 「아이돌마스터」가 정말 큰 콘텐츠라는 건 알고 있었고, 꼭 합격하고 싶다는 생각으로 도전했던 것이 지금도 기억납니다. 카나를 연기했을 때는 저도 뭔가 느낌이 왔어요. 합격 연락이 왔을 때 마침 귀성하던 중이었는데, 정말 기뻐서 엄마랑 같이 울었었죠.

——그리고 10년 가까이 카나와 함께 걸어오셨죠.

키도 사춘기 무렵부터 「밀리언 라이브!」에 관여했으니까, 멤버도 스태프분들도 여러 모습의 저를 알고 계십니다. 레코딩 중간중간에 필사적으로 숙제나 과제를 하던 제 모습도(웃음). 공부를 잘 못해서 시험공부에 쫓기고, 여유도 없어서, 학업과 일을 양립하는 게 정말 힘들었던 시기도, 솔직히 있었습니다. 그래도 라이브에서 멤버들과 만나고, 멤버들의 퍼포먼스와 MC를 보고 들으며 힘을 받고, 프로듀서 씨가 따뜻하게 지켜봐 주신 덕분에 고민을 뛰어넘을 수 있었던 적도 있습니다. 「밀리언 라이브!」는 제 인생에서 없어서는 안 되는 것이죠.

——추억도 많으실 것 같은데, 카나 하면 역시 극장판 「THE IDOLM@STER MOVIE 빛의 저편으로!」에서 키 캐릭터로 등장했던 것이 인상 깊었습니다.

키도 출연한다는 사실을 알게 된 건 「Thank You!」를 녹음했던 때. 「키도 씨, 극장판에서 중요한 역할로 출연하니까

765PRO ALLSTARS 라이브 보고 오세요」라고, 스태프분이 말씀하셨었죠. 깜짝 놀랐고, 엄청난 부담도 느꼈습니다.

——녹음 현장 분위기는 어땠나요?

키도 선배분들이 잘 대해주셨고, 화기애애한 분위기였습니다. 저는 그저 폐를 끼치면 안 된다는 생각에 선배분들의 연기를 보지도 못하고, 제 차례가 올 때까지는 아마미야 소라 씨와 몇몇 분들과 같이 계속 고개만 숙이고 있었죠(웃음). 그러고 보니 거기서 「밀리언 라이브!」 분들도 처음으로 만났습니다. 하나같이 본인이 연기하는 아이돌과 닮아서 정말 예쁘다고 생각했습니다. 같이 지내는 동안에 성격도 똑같은 분들이 많다는 생각도 들었죠. 야마자키 하루카 씨 MC를 듣고 있으면 항상 카스가 미라이가 거기에 있는 것 같다는 기분이 들었습니다. 아이돌을 자신에게 빙의시키는 힘은 다른 멤버들도 정말 강했고, 퍼포먼스 능력도 정말 훌륭했습니다. 저도 더욱더 열심히 해야겠다고, 좋은 자극을 받았습니다.

——카나와 깊은 관계로 이어진 캐릭터로, 키타자와 시호가 있죠.

키도 뭐든지 잘 하는 시호가 좌절할 때면 반드시 카나가 곁으로 다가가서 도와줍니다. 반대로 카나도 시호한테 도움을 받죠. 처음에는 서로 마음이 안 맞는 것 같다고 생각했지만, 지금에 와서는 명콤비라고 생각합니다. 카나와 시호를 메인으로 다룬 만화 「Blooming Clover」를 읽은 뒤로는, 아이돌에 대해 강한 생각을 품고 있는 시호가 더 좋아졌습니다. 저

자신도 라이브에서(시호를 연기하는) 아마미야 소라 씨가 노래하고 있으면, 자꾸만 보러 가게 됩니다. 그만큼 시호는 카나한테도 저 자신에게도 특별한 존재입니다.
——「THE IDOLM@STER MILLION LIVE! 3rd LIVE TOUR BELIEVE MY DRE@M!! @MAKUHARI 0415」에서는 키도 씨 다음에 아마미야 씨가 솔로곡을 부르는 구성이었어요. 그때 아마미야 씨가 불렀던 「그림책」은 시호가 카나에게 불러주는 노래처럼 느껴졌습니다만.
키도 저도 같은 생각을 하면서 무대에 서 있었습니다. 저도 「그림책」을 정말 좋아하거든요. 그 노래를 부를 때 아마미야 소라 씨의 표정이 정말 좋습니다. 라이브 중에는 카나가 되어 있으니까, 앞으로도 힘내자! 라는 기분이 들면서, 아마미야 씨한테서 시호의 모습을 보고 있었습니다. 그리고 마쿠하리 공연에서는 각 투어에서 리더를 맡았던 멤버들이 솔로곡을 불렀습니다. 다들 절대로 실패하지 않겠다는 기개를 가지고 임한 덕분에 긴장했었지만, 그만큼 멋진 퍼포먼스를 보여드렸다고 생각합니다.
——3rd 라이브 투어에서는 첫날인 나고야 공연에서 리더를 맡으셨죠.
키도 공연 전에는 같은 나고야 공연에서 리더를 맡았던 (이부키 츠바사 역의) Machico 씨와 스케줄을 조절하고 여러모로 상담도 했습니다. 이끄는 입장이 되다 보니 그제야 뽕 씨(야마자키 하루카)가 얼마나 힘들었는지 실감했습니다. 뽕 씨는 잘 이끌어주시는데, 정말 대단합니다. 얼마나 힘든지를 체감한

만큼, 모두의 유대를 보다 깊이 느낄 수 있었습니다. 부담감도 컸지만 다음 공연으로 배턴을 이어가기 위해서 기합을 넣고 열심히 했던 날들이 좋은 경험이 됐다고 생각합니다. 각 아이돌마다 소매나 치마 모양이 다른 3rd 라이브 투어 의상도 좋아하고, 개인적으로 추억이 많은 라이브였습니다.
——지금까지 카나가 담당했던 곡 중에서 특히 인상에 남은 곡이 있으신지요.
키도 정말 많지만 굳이 고른다면 토코로 메구미와 마츠다 아리사와 같이 결성했던 「≡키미도리≡」의 유닛 곡 「ReTale」입니다. 카나는 밝은 곡을 부를 기회가 많았기 때문에 「ReTale」처럼 차분하고 애절한 곡을 부르는 건 신선한 경험이었습니다. 밴드 스타일이라서 카나가 기타를 연주한 것도 인상적이었죠. 의외성이 있는 유닛 멤버였지만, 각자가 소중한 것을 지키는 이야기에서 뜨거운 뭔가를 느꼈습니다. 그런 세 사람이 힘을 합쳐서 노래하는 모습이 가슴을 울렸죠. 그래서 스토리성이 느껴지는 이 곡을 아주 좋아합니다.
——유닛이라면 카스가 미라이, 타나카 코토하와 「STAR RLEMENTS」로 활동했었죠.
키도 메인 곡인 「Episode. Tiara」가 왕도 아이돌 송이면서, 커플링 곡인 「기브미 메타포」는 여자들 간의 불꽃 튀는 투쟁을 그린 곡이라는, 그런 구성 자체가 재미있었습니다(웃음).
——CD에 수록된 드라마 파트에서는 아이돌이 되기 위해서라면 수단을 가리지 않는 음습한 성격의 캐릭터 칸자키 미오를 카나가 열연했었죠.

키도 의외였죠. 하지만 항상 밝은 카나라면 크게 두려워하지도 않고 연기했을 거라고 생각해서, 녹음할 때는 미오의 음습한 면을 자제하려고 했습니다. 그랬더니 스태프분이 「노골적으로 음습하게 해도 됩니다. 연기 지도를 잔뜩 받고 열심히 연습했으니까, 평소의 카나에서 확 달라져도 됩니다」라고 디렉션을 해주셨습니다. 그 결과, 그 카나가 탄생한 거죠. 「STAR ELEMENTS」의 이야기에서, 카나가 노력해서 연기하고 있다는 점을 느껴주신다면 정말 기쁘겠습니다.

──그밖에 「밀리시타」에서 기억에 남은 스토리가 있다면 말씀해주시겠습니까.

키도 이것도 정말 많지만, 「메리」의 스페셜 스토리를 봤을 때는 정말 행복한 기분이었습니다. 시호와 카나의 관계를 잘 알 수 있는 이야기였고, 사복 차림으로 나온 두 사람에게 마법이 걸려서 의상이 바뀐다는 곡의 연출도 소름이 돋을 만큼 최고였습니다. 스태프께서 일부러 아끼고 있는 건지도 모르겠지만, 개인적으로는 시호와의 곡이나 라이브에서 같이 노래할 기회가 더 많았으면 싶습니다(웃음).

──여러 추억을 돌라봤습니다만, 앞으로 「밀리언 라이브!」에서 해보고 싶은 일이 있다면?

키도 단독 돔 공연을 해보고 싶습니다. 거기서 아이돌의 개별 의상을 입을 수 있다면, 틀림없이 울어 버릴 겁니다.

──어떤 개별 의상을 입고 싶으신가요?

키도 「밀리시타」의 「주문」 의상이요! 이미지 컬러인 주황색과 음표 무늬가 들어간 부분에서 카나답다는 점이 느껴져서 정말

좋아합니다.

──라이브 외에 보고 싶은 카나의 활동이 있다면?

키도 어린이집 선생님이 돼서 아이들과 노는 모습을 보고 싶어요. 아이들과 즐겁게 노래하고 열심히 노는 모습이 눈에 선합니다!

──마지막으로 키도 씨에게 「아이돌마스터 밀리언 라이브」란?

키도 뻔한 답이지만 「가족」입니다. 멤버도 스태프분도 중학교 시절부터 지금까지 신세를 진 분들이다 보니, 지금에 와서는 크게 긴장하지도 않고 편하게 녹음할 수 있습니다. 말로 표현하는 재주가 없어서 잘 전해질지는 모르겠지만, 저는 「밀리언 라이브!」를 정말 좋아합니다. 말로 표현해서 전해야겠다고 생각은 합니다만, 일단은 퍼포먼스로 그 마음을 전하고 싶습니다. 앞으로도 프로듀서 씨와 아이돌 여러분과 같이, 많은 경치를 보러 다니고 싶습니다.

텐쿠바시
토모카 役

코이와이
토토리

KOTORI
KOIWAI

코이와이 코토리
2월 15일생. 일본 도쿄도 출신.
「아이돌마스터 밀리언 라이브! 시어터
데이즈」에서는 텐쿠바시 토모카 역을 맡고
있다. 취미 특기는 작사, 작곡, 이어폰,
DTM(Desk Top Music). 주요 출연 작품은
「논논비요리」의 미야우치 렌게,
「죠시라쿠」 하로우키테이 키쿠루미.

촬영 : 무라카미 쇼고
헤어 메이크 : hitomi Haga
인터뷰 : 코우메 맛챠

「아기 돼지」나 「천공 기사단」 같은 팬들을 거느리고, 오디션에서는 오히려 프로듀서의 능력을 재보는 등, 신기한 감성을 지닌
토모카. 아이돌로서 여신의 사랑을 나눠주는 것을 사명으로 여기는 토모카의 모습은, 어딘가 그 캐릭터를 연기하는 코이와이 씨와
겹쳐지는 부분이 있는 게 아닐까.

—— 먼저 오디션 때 이야기를 해주시겠습니까.

코이와이 원래 「아이돌마스터」를 좋아했기 때문에, 그 전부터 「꼭 합격하고 싶다!」라고 말하고 다녔습니다. 그랬더니 어느 날 오디션을 보게 됐었죠. 하지만 당시에는 아직 「밀리언 라이브!」의 정보가 공개되기 전이었기 때문에, 「신데렐라 걸즈」라고 생각했습니다(웃음). 나중에 합격했다는 이야기를 듣고는 정말 기뻤했었죠. 그야말로, 그 소식을 들은 순간에 꿈이 이루어진 것이었으니까요!

—— 드디어 꿈꾸던 「아이돌마스터」 세계에 들어서셨다고.

코이와이 그것도 처음에는 「밀리언 라이브!」의 아이돌이 765프로 소속이라는 것도 몰랐었죠. 그 이야기를 들었을 때는 「그렇게 꿈꾸던 765프로에 들어가다니…… 이건 운명이야」라고 생각했습니다. 저는 아이돌들을 프로듀서의 시선으로 본 적이 없었습니다. 비유하자면 동경하는 언니 같은 느낌이었죠. 「밀리언 라이브!」는 절 위해서 만든 게 아닌가 싶을 정도였습니다(웃음).

—— 그 뒤로 오랜 시간 동안 토모카와 함께 걸어오셨는데, 토모카의 매력이라면?

코이와이 저는 토모카를 「15세의 귀여운 여자애」라고 생각하고 있습니다. 팬들을 아기 돼지라고 부르거나 프로듀서한테 역오디션을 본다든지, 조금 특이한 구석도 있지만(웃음). 토모카가 세상에 나왔을 때는 그런 면에 대한 반응이 꽤 있었는데, 그것 때문에 깜짝 놀랐었습니다. 저와 비슷한 부분이 있어서 보통 여자애라고 생각했을 정도였으니까요.

그래서 자연스럽게 연기할 수도 있었습니다. 하지만 시간이 지나고 보니 토모카의 정이 깊은 면이나 상냥한 면이 서서히 침투해왔습니다. 그런 부분까지 포함해서, 모든 것들이 토모카의 매력이라고 생각하게 됐죠.

—— 코이와이 씨는 라이브 MC에서 객석을 향해 손을 흔드는 모습이 인상적입니다. 여신 같은 느낌이라고 할까요.

코이와이 같은 시간에 같은 장소에 같이 있는 건 정말 대단한 일이라고 생각합니다. 그래서 한순간이라도 더, 평생 사라지지 않을 추억을 만들고 싶다고, 항상 생각하고 있습니다. 무대 퍼포먼스 중에도 MC에서도, 여러분께 사랑을 뿌려 드렸으면 좋겠다고 생각합니다!

—— 게임 스토리에서 인상적이었던 것이라면?

코이와이 토모카의 메인 스토리 「몇 번이든, 몇 번이라도」입니다. 계속 무대에 서겠다고 결의하는 이야기인데, 이건 정말 대단하다 싶었습니다. 그 생각을 「몇 번이든, 몇 번이라도」라는 말로 전했죠. 아이돌 그 자체를 그린 대단한 이야기라고 생각했습니다.

—— 유닛으로서는 「야상영양 -GRAC&E NOCTURNE-」 활동이 화제가 됐었죠.

코이와이 「야상영양」은 정말 추억이 많습니다. 오랜 기간 동안 몇 번이나, 같은 유닛 곡을 라이브에서 선보이는 건 처음 해본 경험이었습니다. 다 같이 레슨을 하고, 서로를 알면 알수록 더 좋아하게 됐죠. 라이브 때, 다 같이 빨간 매니큐어를 칠했었는데, 저는 그런 것을 해본 경험이 거의 없었

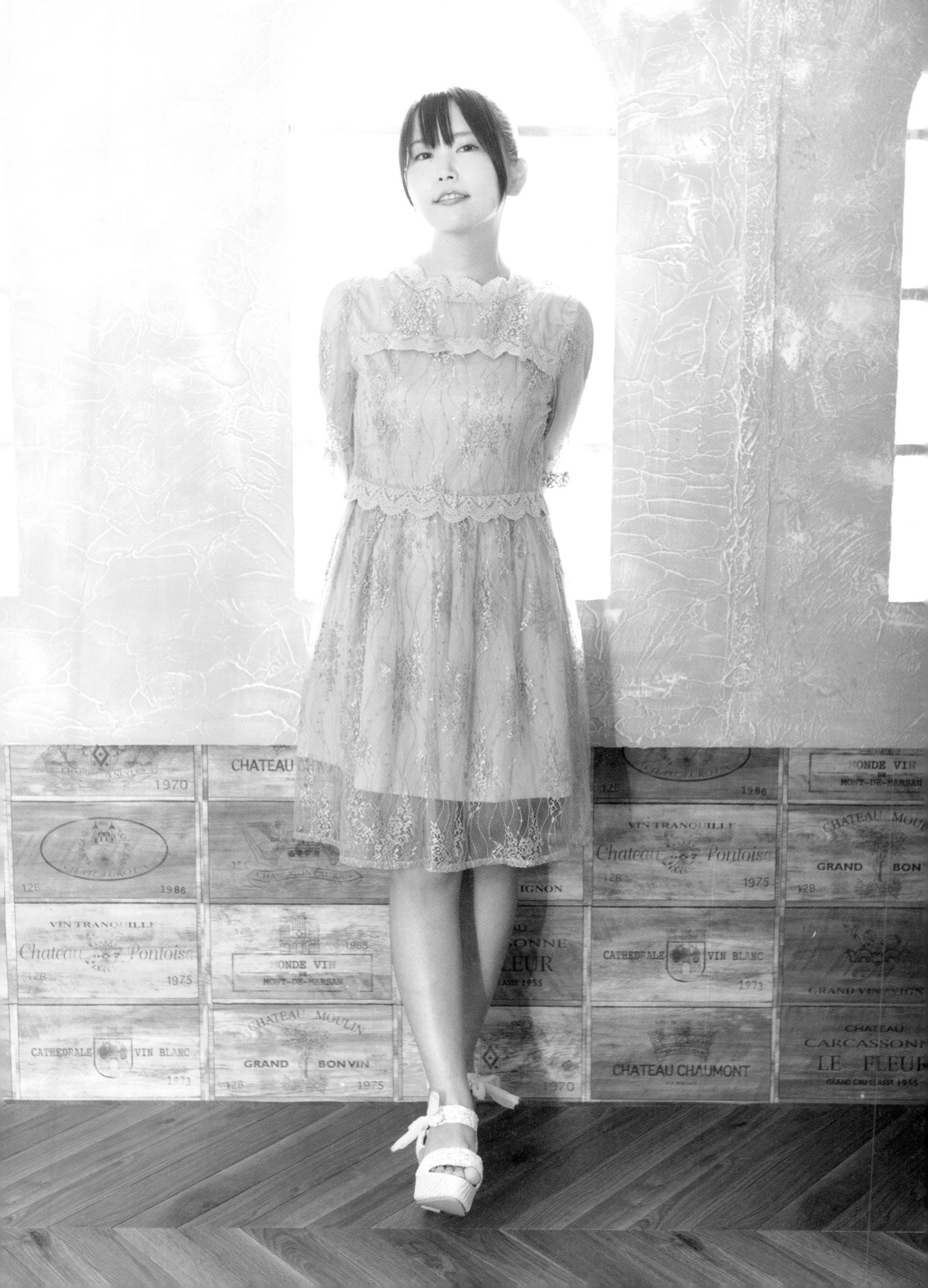

습니다. 그래서 건드려가지고 엉망이 됐죠. 원래 이런 건가 싶었는데, 다른 멤버에게 「원래 이런 거지?」라고 물어봤더니, 「다시 해달라고 부탁드려」라는 대답을 들었습니다(웃음). 그 뒤에 나온 만화에도 똑같은 네일 이야기가 있었는데, 왠지 공감이 갔습니다.

——「하나사쿠야」에서는 부채를 이용한 댄스도 선보였었죠.

코이와이 댄스 중에 부채를 쓰는 건 정말 어려웠습니다! 또 하나, 다 같이 맞춰야 할 요소가 늘어나게 되니까요. 부채가 망가지는 트러블도 있었고, 「밀리시타 감사제 2019~2020」에서 처음으로 선보였는데, 제가 거의 직전까지 제대로 소화하지 못해서 어떻게 해야 하나 싶었죠. 그때 공연 직전까지 에밀리 역을 맡은 카하라 유 씨가 저한테 댄스를 가르쳐주면서 이끌어주셨습니다.

——지금까지 곡들 중에서 인상적인 곡이라면?

코이와이 「Maria Trap」이 충격적이었습니다. 그 곡으로 텐쿠바시 토모카가 완성됐다는 느낌이었죠. 토모카를 보고 이 곡을 만들다니, 작사를 해주신 ZAQ 씨와 작곡을 해주신 미우라 세이지 씨는 정말 대단한 분들이라고 생각했습니다! 별 생각 없이 들으면 러브송 같지만, 사실은 아이돌이라는 것을 철학적으로 생각한 곡 같은 게, 정말 멋있습니다. 첫 라이브에서 솔로 곡으로 부른 것도 「Maria Trap」이다 보니, 더더욱 정이 가는 곡입니다. 영상 연출에도 기합이 잔뜩 들어가 있고요.

——「THE IDOLM@STER MILLIION LIVE! 2nd LIVE ENJOY H@RMONY!!」에서 보여주셨죠. 인트로에서는 「새장 스크립처」의 「천공 기사단 7개의 맹세」가 나왔고.

코이와이 맞아요! 연출이 정말 대단했죠!

——머리카락을 빙글빙글 휘둘렀던 것도 인상적이었습니다.

코이와이 당시에 레슨에서 다른 사람들과 말도 못 한 탓에 긴장했었고, 그래서 머리카락만 계속 뱅글뱅글 만져대고 있었죠. 레슨 상황을 보러 왔다가 마침 그 모습을 본 연출가께서 「돌리면 되겠네」라고 하셨었죠. 그래서 그 동작을 실제 연출에도 반영해 주셨습니다. 「캐릭터다운 느낌이 느껴진다면 그게 정답입니다」라고 말씀하시면서 이끌어주셨습니다. 「Maria Trap」은 「사슬」이라든지 「이어졌다」는 인상이 있는 곡이라서, 댄스 선생님과도 이야기해서 그런 안무를 반영했습니다.

——그런 에피소드가 있었군요……! 세 번째 솔로곡 「Sister」에서는, 「아이돌마스터」 최초로 코이와이 씨 본인이 작사 작곡을 했었죠.

코이와이 원래 「Sister」는 토모카의 곡으로 조용히 만들고 있었습니다. 어느날, 라이브 코멘터리를 녹음하러 모였을 때, 현장 스태프분과 다른 분들이 다음 솔로곡 이야기를 했고, 마침 녹음할 때 다 같이 노력해서 무대에 올라갔다는 생각을 하면서 용기가 난 것도 있어서 그대로 기세를 몰아서 스태프분께 「곡을 만들고 있는데요」라고 말해 버렸죠(웃음). 「제가 쓴 곡 취급하지 말고, 응모곡이라고 생각해 주세요」라고 말하면서 곡을 건네줬습니다. 처음 해보는

일이다 보니 정말 힘들고 두렵기도 했지만, 다른 분들이 잘 도와주셔서 완성할 수 있었습니다.

──── 혹시 다른 곡도 써보고 싶으십니까?

코이와이 꼭 해보고 싶어요! 특히 마이 페이스 유닛(텐쿠바시 토모카, 토쿠가와 마츠리, 미야오 미야)의 곡을! 예전에 세 사람이 학교 축제에서 밴드를 하는 카드가 있었는데, 정말 멋있었습니다. 만들 수 있다면 정말 좋겠어요!

──── 인상적이었던 라이브나 이벤트는?

코이와이 각오를 다지고 도전했던 건 2nd 라이브였습니다. 그 전까지는 이벤트에 출연한 적이 없었지만, 항상 토모카로서 무대에 서고 싶다고 생각했습니다. 처음으로 큰 라이브에 출연했는데, 그때는 「다음에 언제 또 기회가 있을지 모른다. 이번이 마지막일지도 모른다」라는 각오를 했었기 때문에, 그 표현은 두 번 다시 못 할 것 같습니다. ……그 뒤로 몇 번이나 라이브에 출연시켜 주셨습니다만(웃음). 이렇게 계속하게 되리라고는 생각도 못 했었는데, 정말 인생은 미래를 알 수가 없어서 재미있는 것 같습니다.

──── 그 이후의 라이브 중에서 특히 인상적이었던 것이라면 「THE IDOLM@STER 765 MILLION STAR HOTCHPOTCH FESTIV@L!!」 마츠리 역의 스와 아야카 씨와 둘이서 선보였던 「리플레인 키스」가 아닐까 싶습니다만.

코이와이 그때 음향에 문제가 생겨서, 저한테는 소리가 안 들리는 사태가 벌어졌습니다. 하지만 프로듀서분들이 흔들고 계시는 야광봉을 보고 리듬을 알 수 있었죠. 그래서 「이대로

부를 수 있겠네!」라고 생각했죠. 노래를 다 부른 뒤에 스와 씨도 「괜찮았어~?」라면서 바로 저한테 와주셨죠. 결과적으로는 드라마틱한 일이 됐죠. 애니메이션 에피소드로 만들어도 될 것 같아요! 그런 문제는 무슨 수를 써도 일어나는 법이잖아요. 하지만 토모카라면 그런 상황에서도 동요하지 않을 것 같으니까, 저도 그런 사람이 되고 싶습니다. 그것이 앞으로의 과제겠죠.

──── 코이와이 씨는 「라이브에서 하늘을 날고 싶다」는 말을 자주 하셨죠. 그밖에 하고 싶은 게 있으신가요?

코이와이 게임에서 토모카가 하늘을 날았으니까, 그 꿈은 이뤘다고도 할 수 있겠죠(웃음). 그밖에 다른 것이라면 더 넓은 라이브 스테이지라고 할까요. 「밀리언 라이브!」의 힘이라면 더 넓어도 전해질 것 같으니까, 한 번 보고 싶습니다. 그리고 각 캐릭터의 솔로 라이브를 보고 싶어요! 예를 들면 다른 사람들의 솔로곡을 커버한다든지, 토모카라면 카스가 미라이의 밝은 곡을 불러보고 싶네요. 매주 주말 쯤에 한다면, 개인적으로는 정말 좋을 것 같습니다!

──── 코이와이 씨에게 「아이돌마스터 밀리언 라이브!」란?

코이와이 「운명」이겠죠. 어째서 이렇게나 훌륭한 걸까. 상상도 못 했던 꿈이 여기 있다고 할까요. 아케이드 게임이나 TV 애니메이션 「아이돌마스터」를 보면서 「나도 저 안에 들어가고 싶다」라고 꿈꾸던 때보다, 지금이 훨씬 즐겁습니다! 기적이 연속으로 일어났죠!

히라야마 에미

EMI HIRAYAMA

히라야마 에미
9월 24일생. 일본 도쿄도 출신.
「아이돌마스터 밀리언 라이브!
시어터 데이즈」에서는 키타가미
레이카를 연기. 취미는 고양이
동영상 감상, 특기는 노래. 주요
출연작은 「확장 소녀계 트라이너리」
우즈키 카구라, 「데스티니 차일드」
샤롯&요코, 「고양이 탐정 다얀」
지탄 등.

촬영 : 무라카미 쇼고
헤어 메이크 : 타케다 사오리
인터뷰 : 코우메 핫쨔

친구들이 노래를 잘 한다고 말해준 것을 계기로 39 프로젝트 오디션에 참가한 레이카. 자신이 작사, 작곡한 「백설탕 노래」를 부른 건
물론이고, 오디션장에 있던 사람들에게 합창까지 시켰다. 그 배짱과 밝은 성격, 매력을 무기로 아이돌의 길을 걸어가게 됐다.
히라야마 에미는 그 가창력 덕분에 레이카와 운명적인 만남을 갖게 됐다.

———키타가미 레이카를 담당하기 전부터 「아이돌마스터」를 알고 계셨나요?

히라야마 게임이 있다는 건 알고 있었습니다. 인상이라면 유명한 거대 콘텐츠! 애니메이션, 게임 업계의 최첨단이라는 이미지였죠.

———「밀리언 라이브!」 오디션에 도전했을 때 인상은?

히라야마 오디션 때 몇 가지 배역을 연기했었습니다. 과제곡은 전원이 부르는 노래와 오디션을 본 아이돌에 맞춘 쿨한 곡이었는데, 멋있는 느낌으로 불렀더니 「귀엽게 불러보세요」라고 말씀하셨고, 그 말을 듣고 엄청나게 당황했었죠(웃음). 제 나름대로 귀엽게 불러보려고 했더니, 너무 필사적이었던 탓인지 가사를 잊어버렸습니다. 틀렸다고 생각했는데, 나중에 합격 연락이 왔습니다. 그때는 정말 안심했었죠. 정말로 합격했다는 실감이 든 건 녹음이 시작되면서였습니다.

———귀여운 곡은 자신이 없었다는 말씀이신가요.

히라야마 그 전까지는 접한 적이 없었던 장르였으니까, 얼마나 귀엽게 해야 할지를 몰랐죠. 그 때 아이돌의 스탠딩 그래픽을 보여주셨는데, 레이카는 언니쪽에 가깝다는 인상이었습니다.

———그때부터 오랫동안 레이카를 연기해오셨는데, 레이카의 매력은 뭘까요?

히라야마 그렇군요. 여러분도 처음 보셨을 때는 예쁘고 청순한 언니를 상상하셨을지도 모릅니다. 하지만 생긴 것과 달라

서, 상상도 못할 만큼 바람처럼 자유롭고 종잡을 수 없는 아이입니다. 그런 천진난만한 부분이 매력이기도 하죠. 처음엔 「얘 뭐야」같은 생각도 했었지만(웃음). 하지만 깊이 알면 알수록, 본능적으로 그 자리의 분위기를 파악하고 다른 아이돌들을 돕는 경우도 있습니다. 그것도 레이카의 좋은 점이죠. 분위기를 이상하게 만들 것 같으면서도, 사실은 같이 있으면 마음이 놓이는 타입입니다. 레이카는 「보통」이 정말 좋은 것이라는 감성을 지닌 아이라서, 자연스럽게 있을 수 있는 게 아닐까요.

———「보통」이라는 말을, 프로듀서를 칭찬할 때도 쓸 정도니까요. 연기하는 사이에 캐릭터를 파악했다는 느낌이려나요.

히라야마 현장에서 디렉션을 받을 때도 「좀더 튀는느낌으로」라는 말을 듣고, 점점 인상이 달라졌습니다. 연기하다 보면 「의외로 그런 부분을 신경 써주는구나」라고 발견하는 때가 있습니다. 분위기를 마구 휘젓거나 이상한 소리를 자주 하는 캐릭터라는 인상이 있었지만, 최근에는 신기한 세계관에 접하는 포지션이 되어가고 있습니다. 극중극으로 레이카지만 레이카가 아니다, 같은 느낌으로. 처음부터 존재하는 차원이 다르다는 사실에 점점 다가가고 있다는 것이 재미있는 변화입니다.

———지금까지 레이카가 관여한 곡 중에 인상에 남은 곡이라면?

히라야마 정말 고민했는데, 키타자와 시호와 같이 불렀던 「piece of cake」. 멋진 곡이라서 부르면서도 즐거웠습니다. 레이카

의 귀여운 사랑 노래라는 점도 보기 드문 점이죠. 그리고 듀엣으로 부르는 노래도 처음이라서, 레이카 목소리가 이렇게 어우러지는구나, 라는 신선한 느낌이 있었습니다.

―― 발매 이벤트에서 공개했을 때도 인상적이었죠.

히라야마 멋진 안무라서 외우기도 힘들었지만, 귀여워서 좋아합니다. 솔로곡 중에서는 「FIND YOUR WIND!」. 솔로곡 세 곡 중에서 가장 어려운 곡입니다. 곡을 처음 받았을 때는 간주 부분도 없었죠. 노래에 쉴 틈이 없어서, 이건 녹음하기 힘들겠다 싶었습니다(웃음). 그래서 진화할 수 있는 곡이구나, 아직 더 성장할 여지가 있구나, 싶었습니다. 「FIND YOUR WIND!」와 「하늘에 손이 닿는 장소」는 라이브에서 몇 번인가 불렀지만, 「서머☆트리 ~summer trip~」은 거의 부르지 않았습니다. 20세 여자아이로서의 모습이나 장난스러운 부분이 들어가 있어서, 정말 좋아합니다.

―― 듣고 보니 많이 안 부르셨군요. 발매 이벤트 외에는 「THE IDOLM@STER MILLION LIVE! 3rd LIVE TOUR BELIEVE MY DRE@M!」 후쿠오카 공연뿐. 레이카와 노래에 대한 이야기입니다만, 처음에는 노래를 잘 부르는 아이돌이라는 말을 못 들었던 것 같습니다만… 오디션 때부터 노래를 잘 한다는 말을 들으셨나요?

히라야마 사실은… 그랬습니다! 「노래를 잘 부르는 캐릭터니까」라고 해서, 갑자기 엄청나게 부담이 됐습니다. 처음에는 공개된 설정으로 적혀 있지 않았으니까, 물어볼 때까지는 가만히 있어야겠다고 생각했죠(웃음).

―― 히라야마 씨 본인에 대한 기대도 있지 않았을까요.

히라야마 제가 해도 되는 걸까, 뭐 그런(웃음). 더 열심히 해야겠다고 생각했습니다.

―― 지금부터는 스토리에 관한 질문입니다. 레이카는 많은 스토리에 관여해왔습니다. 인상적인 스토리가 있다면?

히라야마 「기다림의 Lacrima」를 부른 아쿠아리우스가 스토리에 등장했던 때가 기억에 남습니다. 레이카는 멤버가 잔뜩 있는 유닛일 때는 분위기를 띄우거나 격려하는 경우가 많다 보니 중심 역할을 맡는 경우는 거의 없지만, 아쿠아리우스 때는 기분 좋은 상태면서도 날카로운 시선을 발휘하고 있다는 인상이었습니다. 그 스토리에서는 절묘한 균형을 이루는 공기가 응축돼 있었죠.

―― 최근에는 「4 Luxury」, 「TRICK&TREAT」에서도 활약했죠.

히라야마 「4 Luxury」에서는 제일 나이가 어리다 보니 어떻게 엮일지가 기대됐습니다. 언니들이 챙겨주고, 어른스러운 분위기를 연출해 재미있는 모습을 봤죠. 「TRICK&TREAT」는 노노하라 아카네하고는 오랫동안 「뿌뿌카 푸딩」으로 활동했는데, 이제야 본격적인 유닛이 되다니, 라고 놀랐습니다. 곡도 시끌시끌했고 「어쨌거나 신나게 불러 주세요」라는 주문도 있어서, 지금까지의 틀을 뛰어넘는 유닛이었죠.

―― 지금까지 출연한 라이브 이벤트 중에서 특히 기억에 남는 것이 있으신가요.

히라야마 「piece of cake」 발매 이벤트입니다. 그 전까지 이벤트에

서는 사복으로 출연했는데, 그때 처음으로 「밀리언 라이브!」 의상을 입었죠. 의상을 입고 춤추게 됐을 때, 제 안에서 뭔가 스위치가 켜졌습니다. 지금까지는 맨몸이라는 기분이었지만, 이제는 전투복을 입었다는 것 같은. 입기만 해도 마음이 든든해지면서, 의상의 힘을 실감했습니다. 그리고 「THE IDOLM@STER MILLIOON LIVE! 4thLIVE TH@NK YOU for SMILE!!」의 부도칸 공연이겠죠. 전체 곡까지 합쳐서 10곡 정도는 불렀습니다. 저는 곡 중간 MC도 거의 없었죠(웃음). 덕분에 체력도 붙었고, 뛰어넘었다는 자신감도 생겼습니다.

—————지금까지 공개한 의상 중에 개인적으로 좋아하는 의상은?

히라야마 굳이 따지자면 누벨 트리콜로르, 뤼미에르 파피용. 그리고 「4 Luxury」의 메이크업 패뷰러스! 겠죠. 넷이서 모여 있어도 귀엽고, 천 면적이 적습니다! 저는 무대에서 땀을 많이 흘리는 타입인데, 시원해서 정말 도움이 됩니다(웃음).

—————라이브 퍼포먼스에서 신경 쓰는 점은?

히라야마 레이카는 크게 긴장하는 캐릭터가 아니라고 생각합니다. 처음 발매 이벤트에 출연했을 때는 떨릴 정도로 긴장했지만, 제가 즐기지 않으면 그건 레이카가 아니라고 생각했습니다. 그래서 저 나름대로 즐기려고 의식합니다.

—————앞으로 라이브에서 해보고 싶은 것은?

히라야마 지난번 「THE IDOLM@STER MILLIOON LIVE! 7thLIVE Q@MP FLYER!!! Reburn」은 첫 야외 라이브였는데, 정말 즐거웠습니다. 야외 라이브는 한 번 더 해보고 싶습니다. 레이카한테는 하늘이라든지 그런 이미지가 있으니까, 와이어로 매달려보고 싶어요. 부양감 연출을 체험해 보고 싶다고 할까요. 그리고 물가에 있는 카드도 많으니까, 야외니까 가능한 물총 같은 것도 해보고 싶습니다.

—————히라야마 씨에게 「아이돌마스터 밀리언 라이브」란?

히라야마 「고향 같은 느낌」이 있습니다. 전부 고향 친구 같다는, 그런. 「THE IDOLM@STER ILLION LIVE!」 MILLIONSTARS 특별 라이브 스트리밍 ~수제 Thank You!~」 방송에서 출연진이 원격으로 토크나 채팅을 하는 기획이 있었습니다. 그렇게까지 달아오를 줄은 몰랐네요(웃음). 딱히 구체적으로 회의를 했던 것도 아닌데, 서로가 화제를 던지면 잘 받아줬습니다. 서로 돕고 서로 존중하고, 마음이 편합니다. 그런 멤버들 속에서 저는 「고개 끄덕이는 포지션」입니다. 「예이————!」하고 분위기를 띄우죠(웃음).

사내에서 이색적이라고 화제가 됐던 게임 「아이돌마스터」

──────먼저 두 분이 「아이돌마스터」에 관여하게 된 경위를 말씀해 주십시오.

히가시 원래 벤처기업에서 게임 기획을 제안하고 같이 개발하거나, 저희가 게임 시나리오를 쓰고는 했습니다. 그 뒤에 당시 남코 쪽에서 맡겨주신 일을 했었는데, 그게 계기가 돼서 입사하게 됐습니다. 입사한 뒤에는 기획, 게임 디자인 부분 담당으로 여러 타이틀에 관여했었는데, 시나리오 경험이 있다는 이유로 「아이돌마스터」 시나리오 팀에 참가하게 됐습니다. 「THE IDOLM@STER」의 다운로드 시나리오가 제 「아이돌마스터」 데뷔작이었죠.

아오키 저는 원래 소설가가 되고 싶어서 일하면서 소설을 쓰고 있었습니다. 한때는 만화 어시스턴트 일도 했었는데, 그러던 중에 만화 관련 일을 하는 친구가 게임 시나리오쪽 일에 관심이 있냐는 제안을 했고, 처음에는 보조하는 형식으로 시나리오 제작에 관여했습니다. 그 뒤로 10년 이상 프리랜서 시나리오 라이터로 미소녀 연애 게임, 여성향 게임 등의 시나리오 제작을 담당해왔습니다. 하지만 아무래도 프리 입장에서는 근본적인 기획 제작에는 관여하지 못하는 데다 제한도 많다는 사실을 깨닫고, 회사에 소속되면 좋겠다는 생각을 했습니다. 그러다가 어떤 스마트폰 게임 회사에 들어갔고, 그러다가 인연이 돼서 반다이 남코 스튜디오에 입사해서 지금까지 일하고 있습니다.

──────일로 관여하기 전부터 「아이돌마스터」를 알고 계셨나요?

히가시 플레이어는 아니었지만 「XBOX 360」으로 발매된 「아이돌마스터」의 평판이나, 니코니코 동화에서 화제라는 정도는 알고 있었습니다. 그리고 당시에 다른 팀이 격투 게임과 RPG 타이틀에 힘을 쏟는 와중에, 아이돌이 춤추고 노래하는 게임을 진지하게 만들고 있다는 사실은 사내에서도 어느 정도 화제였습니다. 실제로 접해보고 가장 놀랐던 점은, 선택한 아이돌이 어떤 곡이건 정말로 노래해 준다는 점이었습니다. 이 정도면 당연히 화제가 될 수밖에 없다고, 그렇게 납득했었죠.

아오키 격투 게임을 플레이하려고 오락실에 다니던 시절에, 아케이드판 「아이돌마스터」 앞에 줄이 서 있는 것을 슬쩍 봤습니다. 그리고 애니메이션 「아이돌마스터」가 방영되던 때, SNS가 떠들썩했던 것도 봤었요. 그래서 일로서 관여하기 전에는 「유행하는 콘텐츠」라는 인식 정도였습니다.

아이돌마스터 밀리언 라이브!

시나리오 디렉터
히가시 요시히토
아오키 토모코

인터뷰

765프로 소속 52명의 아이돌. 그녀들이 갈등, 곤란을 뛰어넘어 성장하고 동료들과의 유대를 키워가는 궤적들은, 「밀리시타」 안에서 「스토리」라는 형태로 그려지고 있다. 그런 아이돌들의 이야기에 대한 시나리오 제작, 디렉션을 담당하는 히가시 요시히토 씨와 아오키 토모코 씨는, 「즐겨주시는 프로듀서분들께 납득하면서도 새로운 놀라움과 발견을 주는 것이 중요하다」 「저희는 아이돌이 움직이고 말하는 것을 대필하고 있을 뿐」이라고 말했다.

니다. 그리고 GREE판 시절부터 느낀 점인데, 일러스트의 퀄리티가 상당히 높다는 점입니다. 개발 멤버들이 그 퀄리티를 유지하기 위한 노력을 아끼지 않는다는 뜻이죠. 전에 있던 회사에서는, 굳이 따지자면 최소한의 비용으로 돈이 되는 것을 만든다는 방식입니다. 퀄리티를 높이는 데 있어서 타협할 필요가 없는 「밀리언 라이브!」의 제작 환경이, 저는 정말 기뻤습니다.

──── 콘텐츠는 물론이고 일하는 환경도 매력적이라고 느꼈습니다.

아오키 그렇죠. 그 덕분에 거의 8년이나 이 회사에 있다고 생각합니다. 물론 게임은 팔려야 하고 유저분들이 봐주셔야 하는 물건이니까, 그것도 중요하다는 점은 이해하고 있습니다. 그래서 항상 새롭게 시작하는 유저분도 고려하면서 시나리오를 제작하고 있는데, 가장 우선하는 것은 아이돌 자신. 아이돌들을 소중하게 생각하지 않으면 「아이돌마스터」는 성립하지 않는다고 생각합니다. 콘텐츠에 관여하는 모든 사람이 그것을 의식하고 있다는 것이 좋은 점이라고 생각합니다.

──── 격투 게임을 좋아하셨군요. 그 지식을 시나리오에도 활용하셨나요?

아오키 글쎄요. 여기저기에 들어가 있는 것 같기도 하군요(웃음).

> **스태프가 퀄리티를 높이기 위해
> 노력을 아끼지 않는 환경이 기뻤다**

──── 「밀리언 라이브」에 관여하게 되신 건 언제부터였나요?

히가시 계속 가정용 「아이돌마스터」 개발 팀에 있었는데, 「아이돌마스터 원 포 올」 발매 이후 쯤부터 「밀리언 라이브!」에도 관여하게 됐습니다. 그 뒤로 서서히 「밀리언 라이브!」 쪽으로 옮겨갔고, 「밀리시타」 개발이 시작된 뒤로는 「밀리언 라이브」가 메인이 되고 가정용 「아이돌마스터」는 기본 콘셉트와 플롯을 확인, 감수하는 입장이 됐습니다.

아오키 저는 원래 GREE판에서 「플래티넘 스타 라이브편」을 제작할 때, 「밀리언 라이브!」 제작팀에 시나리오 스태프로 채용됐었기에, 입사한 때부터 계속 관여하고 있습니다. 어느샌가 「밀리언 라이브」 스태프 중에서 꽤나 고참이 됐습니다.

──── 「밀리언 라이브!」에 대한 인상을 말씀해주시겠습니까.

아오키 아이돌들이 겉모습은 다들 귀엽지만, 내면은 상당히 개성적인 사람들이 많다는 인상이었습니다. 전형적인 행동을 하는 아이돌이 없다 보니 시나리오를 제작하는 입장에서는 눈물이 날 지경이지만, 그것이 「밀리언 라이브!」의 재미있는 점이라고 생각합

──── 「밀리언 라이브」만의 포인트가 있다면 말씀해주십시오.

히가시 「아이돌마스터」 시리즈가 다른 아이돌 콘텐츠와 다른 특징적인 점이라면 「극장」이라는 존재입니다. 아이돌들이 「극장」을 거점으로 커뮤니케이션을 하고 활동하는 것이, 이 콘텐츠만의 개성이라고 생각합니다. 「밀리시타」가 된 뒤로는 특히 극중극 같은 시나리오가 늘었는데, 그것도 「극장」이 있기에 가능한 일이고, 공연이라는 형태로 무리 없이 전개할 수 있죠. 「극장」에서 일어난 일이니까, 어떤 시나리오에서 아이돌의 솔로 공연에 다른 아이돌이 등장해도 자연스럽고, 유닛 활동에서 다른 아이돌이 도와주러 오는 것도 위화감이 없습니다. 그것이 「밀리언 라이브!」의 시나리오면에서의 특징 중에 하나라고 생각합니다.

> **곡와 아이돌이 열쇠가 되는
> 「밀리시타」의 시나리오 제작**

──── 두 분은 「밀리시타」에서 어떤 역할을 맡고 계시는지요?

히가시 「밀리시타」 프로젝트 팀에서는 게임 디자인 디렉터라는 기획 부분을 총괄하는 직함이고, 일단은 아오키 씨의 상사입니다(웃음). 그리고 「밀리언 라이브!」의 콘텐츠 디렉터로서 세계관 관리에 관한 책임을 지는 입장이기도 합니다. 아이돌이 어떤 경위로 활동하고 있는지, 아이돌의 새로운 측면을 추가한다

든지 할 때에 최종적인 판단을 하는 역할이죠. 그리고 작년까지는 게임 디자인 섹션의 시나리오 파트 리더도 겸임했습니다. 지금은 아오키 씨께서 그 일을 맡아주시고 계십니다. 하지만 제가 시나리오에 전혀 관여하지 않는 건 아니고, 상황이나 안건에 따라서는 시나리오 제작이나 감수를 맡는 경우도 있습니다.

아오키 저는 10여명 정도로 구성된 시나리오 팀의 리더 같은 역할입니다. 스케줄 관리와 진행, 자료와 플롯을 만들어서 사내나 외부 협력사 분들께 제작을 의뢰하기도 하고, 그것을 감수하기도 하는 일련의 흐름을 파악하는 입장이죠. 주요 업무는 시나리오 감수입니다. 기본적인 감수 업무라면 오탈자 확인이나 표현에 문제가 없는지, 시나리오를 플롯에 따라 작성했는지 등이 있는데, 「아이돌마스터」에서는 아이돌의 매력을 제대로 표현했는지가 가장 중요하기 때문에, 그 부분을 확실하게 체크하면서 수정하고 있습니다. ……히가시 씨? 제 업무 내용, 이게 맞나요?

히가시 (웃음). 기본적으로는 그런 입장이지만, 아오키 씨는 작가성이 있는 분이시다 보니, 결과적으로 본인이 시나리오를 쓰는 일이 많습니다. 그럴 때는 스케줄 관리 등은 다른 스태프가 돕기도 하는데, 일단 리더는 아오키 씨가 맞습니다.

아오키 아무래도 저는 프로듀서분들 사이에 하드한 시나리오를 쓰는 사람이라는 이미지로 알려진 것 같습니다(웃음). 「야상영양 -GRAC&E NOCTURNE-」 때 드라마 CD 시나리오와 작사를 담당하면서 이미지가 고정된 게 아닌가 싶습니다. 물론 그런 진지한 이야기도 쓰기는 합니다만, 메인 스토리나 메모리얼 스토리, 카드와 게임 내부 시나리오 쪽에 더 많이 관여하고 있습니다. 어쨌거나 어느 때건 곡의 방향성이나 아이돌에게 맞춰서 시나리오를 쓰기 위해 노력하고 있습니다. 「야상영양」은 고딕 다크라는 콘셉트였기 때문에, 거기에 맞춰 설정부터 만들었습니다.

———곡이나 아이돌의 방향성에 맞춰서 시나리오를 쓴다고 하셨는데, 「스토리」의 내용은 어떻게 정해지는 건가요?

아오키 기획 개발팀에서 실장될 악곡과 카드의 등록 시기를 결정합니다. 그 스케줄에 따라서 시나리오 팀이 방향성과 플롯을 작성하는 것이 기본적인 흐름입니다.

히가시 밀리언 시어터 시즌 같은 신곡의 경우에는, 개발팀이나 이벤트 내용을 생각하는 섹션, 그리고 사운드 팀과 어느 정도 세계관을 공유하고 있습니다. 메인과 이벤트 곡에서 진행속도가 약간 차이가 나는데, 신곡이라면 곡 발주와 거의 같은 타이밍에 플롯 작성에 들어가죠.

아오키 극중극과 처음부터 정해진 스토리 같은 경우

에는, 아이돌 본인이 노래한다기보다 그 극의 세계관에 맞춰서 아이돌이 노래하게 되니까, 일단 세계관을 설계해야 합니다. 그래서 작사, 작곡가 분께 최대한 빨리 플롯을 전해드려야 하는데… 스케줄 관계상 아슬아슬하게 드리는 경우도 있습니다. 정말 죄송할 따름입니다.

———이레귤러가 있기는 해도 기본적으로는 곡을 선행하고 그 뒤에 시나리오를 만든다는 얘기군요. 그렇다면 시나리오에 등장하는 아이돌은 언제쯤, 어떻게 정해지나요?

아오키 등장하는 아이돌과 카드의 라인업은, 개발팀에서 필연성과 등장 회수 등등 다양한 요소를 고려하면서 결정합니다. 메인 스토리의 곡 등은 시나리오 팀이 상담을 받은 뒤에 최종적으로 결정하는 경우도 있습니다.

———게임 외에 드라마 CD 등에서도 이야기가 그려지는 경우가 있는데, 그쪽도 시나리오 팀이 담당하시나요?

히가시 「밀리시타」에서 나오는 곡에 관한 CD라면, 개발 시나리오 팀이 책임지고 담당합니다. 다른 미디어 전개도 기본적으로 감수는 하고 있지만, 경우에 따라서는 요점을 정리해서 권리 팀에 감수를 부탁하는 경우도 있습니다.

> **52명 모두의 매력을 알아줬으면 싶고, 인기가 많아졌으면 좋겠다**

———지금까지 시나리오를 만드는 흐름에 대한 이야기를 들어봤는데, 제작하면서 특히 신경 쓰는 점

이 있으시면 말씀해주십시오.

아오키 시나리오 담당으로서 누구 한 사람에게 주력하는 게 아니라 52명 전원을 똑똑히 보는 것… 이라고 할까요. 솔직히 말하자면 저는 52명 모두가 인기가 많아졌으면 좋겠습니다. 그래서 시나리오 담당으로서 개인적인 욕심을 말하자면, 아이돌들의 매력을 알아주셨으면 싶고, 가능하다면 좋아해 주셨으면 싶습니다. 그렇게 생각하면서 각 시나리오를 만들고 있습니다. 또 신경 쓰는 점이라면, 쓰는 사람의 존재를 최대한 숨기는 것. 극중극은 아이돌의 이야기가 아닌 '극'으로서의 재미가 있어야 하기 때문에 뭔가 다른 재미를 추가하지만, 「밀리시타」의 주역은 어디까지나 아이돌입니다. 그래서 원래는 「이 시나리오 아오키 씨가 썼네」라고 맞히는 분이 계신다면, 그건 글렀다고 할까요. 「밀리시타」안에서 살아가는 건 아이돌이지 제가 아니니까, 극단적으로 말하자면 저는 아이돌이 말하는 내용을 대필할 뿐인 존재가 되어야만 합니다. 하지만 아이돌들이 머릿속에서 마음대로 말해주게 되려면 52명에 대해 많은 것을 알아야 하고 이해해야만 하니까… 아이돌들의 「매력, 귀여운 점」을 보여주는 것이 저희 시나리오 팀의 일인데, 고민과 약한 모습, 단점까지 포함해서 전부 「매력」이라고 생각합니다.

―――제대로 이해하지 못한 채 시나리오를 쓰면 프로듀서분들이 부자연스럽게 느낄 수도 있다는 말씀이시군요.

아오키 그렇습니다. 아이돌의 매력을 살려주기 위해서 심볼이나 이야기가 있는 것이지, 심볼이나 이야기를 위해서 아이돌이 있는 게 아닙니다. 그것을 염

두에 두고서 시나리오를 작성하고 있습니다.

히가시 저는 프로듀서분들이 시나리오를 다 읽었을 때 새로운 놀라움이나 발견을 하는 것이 중요하다고 생각합니다. 프로듀서분마다 각각 좋아하는 것이 있고, 「아이돌의 이런 모습을 보고 싶다」고 바라는 점도 있으리라고 생각합니다. 하지만 그런 요청 그대로 만든다고 해도, 무조건 재미있을 거라는 법은 없다고 생각합니다. 거기에는 프로듀서분의 발견이 있어야만 한다고 생각합니다. 「이 아이돌에게 이런 매력도 있었구나」 「의식하지 않았었는데, 이런 게 이 아이였지」라고 느끼셨을 때, 비로소 시나리오로서 성공했다고 말할 수 있다고 생각합니다.

아오키 「765PRO ALLSTARS」 13명은, 과거에 쌓아온 것들이 있기 때문에 특히 그런 경향이 강합니다. 13명의 과거를 망라하고 있는 프로듀서분이 보셔도 신선하게 느낄 수 있는 시나리오를 전개하는 것이 보다 중요하다고 생각합니다.

―――시나리오를 작성할 때, 「765PRO ALLSTARS」와 「MILLIONSTARS」의 아이돌을 다르게 의식하는 점이 있으신가요?

히가시 시나리오 제작 순서에는 차이가 없지만, 역사의 길이에 따라서 전개할 수 있는 이야기나 보여주는 방법에 차이가 있다고 생각합니다. 「765PRO ALLSTARS」 13명은 현실에서도 설정에서도 선배고, 지금까지 쌓아온 것들이 있으니까 「소꿉친구처럼 서로 잘 알고 있는 그룹」이라는 방법으로 보여줄 수 있습니다. 하지만 「MILLIONSTARS」의 아이돌은 밀리시타에서도 신인부터 시작합니다. 아직 서로 잘 모르는 일면이 있고, 새로운 발견이나 공감을 얻어가면서 친목을 다져가는 드라마를 전개하기 쉽다는 생각이 듭니다.

아오키 전에 히가시 씨하고, 「MILLIONSTARS」에는 미나세 이오리와 키쿠치 마코토처럼 서로 다툴 수 있는 라이벌 관계를 아직 만들지 못한 것 같다는 이야기를 했습니다. 메인 스토리나 유닛 등 다양한 일들을 쌓아가면서 아이돌들의 유대는 틀림없이 깊어져 가고 있지만, 아직 서로 조심하는 측면도 있을 지도 모릅니다. 메인 스토리 94화 「나는, 당신의」에서 시마바라 엘레나와 토코로 메구미의 관계 같은 것이 하나의 계기가 될지도 모릅니다. 경쟁과는 또 다를지도 모르지만, 엘레나의 「소중한 친구이자 동료이기에, 진심으로 라이벌로서 경합하고 싶다」는 사고방식이, 앞으로 「MILLIONSTARS」에 좋은 영향을 줬으면 좋겠다고 생각합니다.

―――「스토리」에는「메인」「이벤트」「메모리얼」등 여러 종류가 있습니다. 각 시나리오를 만들 때 의식하는 점이 다른가요?

히가시 메인 스토리는 아이돌이 그 곡을 어떻게 대하는지에 대해 쓴다든지, 곡의 콘셉트를 바탕으로 아이돌들이 무슨 생각을 하는지 보여주는 경우가 많습니다. 각 아이돌의 첫 번째 곡 메인 스토리에서는 처음으로 센터가 돼서 자신이 주인공이 된다는 점을 생각하는 모습, 두 번째 곡은 팬, 동료 등 주변을 생각하면서 아이돌이 성장해나가는 모습을 보여드리려고 의식해왔습니다. 그러면서 이벤트 스토리에서는 선발된 멤버에 따른 이야기나, 아이돌간의 관계성을 진하게 그리는 쪽에 중점을 두고 있습니다.

아오키 이벤트 스토리는 군상극에 가까울지도 모릅니다. 메모리얼 스토리는 아이돌의 개성, 존재 방식이나 그 생각의 축을 그리죠. 카드 스토리는 그 카드와 관련된 뒷이야기나 거기에 도달하기까지의 이야기를 그리는 쪽으로 접근하고 있습니다.

히가시 감사하게도「아이돌마스터」라는 콘텐츠는 열심히 응원해주시는 덕분에 그 기대도 크고, 그 아이돌이 인간적으로 어떻게 매력적인가, 어떤 단점이 있는지를 계속해서 깊이 파고 들어가야만 프로듀서분들도 재미있게 즐겨주실 거라고 생각합니다. 그렇다고 무작정 새로운 요소를 덧붙이는 게 아니라 그 아이돌의 마음속에 깊이 파고들고, 그 안에서 발견한 빛을 보여드리는, 그런 의식이 중요하다고 생각합니다. 먼저 생각한 시나리오 전개에 나중에 아이돌을 끼워 넣는 짓은 절대로 하지 않고, 아이돌들이 그 플롯 라인 위를 걸어가면서 했던 말과 행동을 그러모아서 시나리오를 만들자고, 항상 명심하고 있습니다.

―――두 분이「밀리시타」에서 특히 인상적이었던 시나리오를 말씀해주세요.

히가시 전부 인상 깊었지만, 이렇게 질문을 받으니까 제일 먼저 떠오르는 건「플래티넘 시어터 ~정글☆파티~」군요. 황당한 이야기였지만 어떻게든 깔끔하게 마무리했던 것 같습니다. 예정이 전혀 없었던 새로운 설정을 추가했던 것도 특히 기억에 남는군요.

아오키「극장의 영혼」이었죠(웃음).

히가시 맞습니다(웃음). 그밖에는 호시이 미키의 2번째 메인 스토리 71화「너만 보고 있으니까」. 프로듀서에 대한 마음을 그렇게까지 진지하게 그렸던 건, 가정용 때부터 생각해봐도 상당히 오랜만인 것 같습니다. 주위에 있는 모모세 리오, 나가요시 스바루,

미나세 이오리, 키타가미 레이카도 빠직, 하고는 '그녀들 답게' 미키와 프로듀서에게 자기 의지로 관여해서 이야기를 움직여줬다고 생각합니다.

―――당연한 얘기지만, 한 아이돌에게 주위 아이돌이 어떻게 관여하는지는, 관계치나 입장에 따라 달라지겠죠.

히가시 그렇습니다. 누가 봐도 그 아이돌답게, 그러면서 매력적이고 재미있게 관여하는지도, 저희 시나리오 팀의 실력에 달려 있다고 생각합니다.

아오키 제가 이벤트 스토리에서 인상 깊었던 이야기는「플래티넘 스타 투어 ~무지개빛 letters~」였습니다.「미야오 미야와 엘레나로 여고생 유닛을 하고 싶어! 두 사람의 여고생으로서의 매력을 더 살리고 싶어!」라고, 유닛 회의에서 강하게 어프로치 했었는데, 그게 실현돼서 정말 기뻤습니다. 그 전까지는 거의 엮이지 않았던 두 사람이, 유닛이 되면서 서를 알게 되고 점점 거리가 가까워진다. 그렇게 해서 만들어진「밀리시타」만의 새로운 아이돌들의 관계성이라고 생각합니다. 스토리가 프로듀서 없이 제3자 시선으로 진행된다는 시도도,「밀리시타」의 새로운 길을 개척하지 않았나 싶습니다.

히가시「무지개빛 letters~」드라마 CD는 원래 극중극으로 하자는 얘기가 없었죠.

아오키 그랬죠. 시나리오 제작을 의뢰했을 때, 플롯 아이디어부터 맡겼었는데, 극중극으로 하자는 제안이 올라왔었죠. 아마도 그 전에 했던「플래티넘 스타 투어 ~어두운 별, 머나먼 달~」을 참고로 보내드린 게 원인이 아니었나 싶습니다. 아무튼 그게 괜찮아서 그대로 진행했었죠. 그 결과로 밀리언 시어터 제

네레이션(MTG) 시리즈 드라마는 전부 극중극이 되었습니다.

히가시 원래 MTG 시리즈 유닛은 밀리시타에서 프로듀서분이 아이돌 52명 전원을 다 외우는 건 힘드니까, 먼저 노래와 유닛을 기억하게 하면 좋겠다는 생각으로, 처음에는 테마와 콘셉트만 만들었습니다. 그것을 하나하나 구체화했더니, 그 다음에도 극중극 체제 유닛이 잔뜩 기다리고 있는, 그런 결과가 돼버렸는데… 이대로 가도 되겠지, 싶었죠(웃음).

──그런 경위가 있었군요.

아오키 최근의 경우라면 「플래티넘 스타 투어 ~DIAMOND JOKER~」도 인상적이었죠. 「밀리시타」의 이부키 츠바사는 계속 본인만의 성장을 그려왔는데, 「플래티넘 스타 투어 ~ABSOLUTE RUN!!!~」 때에 센터가 되지 못했던 츠바사가 「DIAMOND JOKER」에서 처음으로 리더가 되어 걸어가기 시작한다. 그 성장과 갈등이 드러나지 않았나 싶습니다.

히가시 아이돌이 노력해서 성장해가는 모습이 정말 좋았죠.

아오키 메인 스토리에서 기억에 남는 건 61화, 「그리고 소녀는 우화한다」. 마코토 메인 스토리입니다. 아이돌 키쿠치 마코토에게 「멋지다」와 「귀엽다」 사이에서 흔들리는 것은 숙명 같은 일이라고 생각합니다. 마코토의 「귀여운 아이돌이 되고 싶다」는 희망은 이뤄주고 싶다. 하지만 「멋지다」는 틀림없이 마코토의 무기입니다. 그 절충점을 어디로 해야 좋을지 한참을 고민한 결과, 마코토가 「프로듀서, 이거예요!」라고 대답해준 것이 그 시나리오였습니다. 사실은 저도 한 사람의 프로듀서였던 시절에, GREE판에서

처음으로 유닛을 만들었던 멤버가 마코토, 리오, 스바루였습니다. 원래 보이시한 아이와 섹시 계열 언니를 좋아했는데, 아직 「밀리언 라이브」에 대해 잘 모르던 시절에 그냥 직감으로 선택했었습니다.

──그러셨군요.

아오키 개인적인 이야기지만, 저는 좋아하는 아이돌의 시나리오는 담당하지 않는 쪽이 좋다고 생각합니다. 너무 좋아하다 보면 시선이나 표정에 개인적인 감정이 드러나게 되니까요. 그래도 이 시나리오만은 히가시 씨한테 「저한테 맡겨주세요」라고 부탁해서 담당했었습니다.

히가시 아이돌의 이미지나 이상적인 모습은 프로듀서분마다 다르고, 쓰는 쪽의 이상이나 해석도 그중에 하나일 뿐입니다. 그런 상황에서 혼자만 좋아하는 생각을 표현해봤자, 프로듀서분께는 「그래서 어쩌라고」라는 이야기가 돼버릴 가능성이 큽니다. 아이돌의 원래 설정과 과거 에피소드에서 유래한 공동된 인식을 바탕으로 「마땅히 그래야 할 매력적인 모습」을 어떻게 찾아낼지가 중요한데, 「좋아하는 아이돌」의 경우에는 그걸 놓쳐버릴 위험이 있다고 생각합니다. 하지만 한편으로는 쓰는 사람의 쓰고 싶다는 의욕은, 좋은 것을 만들거나 최적의 해답에 도달하기 위한 에너지가 된다고 생각합니다. 아오키 씨는 그런 전제를 이해하고 계시고, 절대로 이상만 가지고 덤벼드는 분이 아니라는 걸 저도 잘 알고 있기에, 믿고 맡겼습니다.

아오키 「제 마코토는 이렇습니다」 같은 걸 써봤자 프로듀서분은 「어쩌라고」라고 하실 테니까요(웃음).

「밀리시타」에서 전개했던 것 중에 보람을 느꼈던 시나리오

──시나리오를 쓸 때는 여러 가지를 신경 쓰면서 아이돌과 마주하고 계시군요.

히가시 진지한 이야기인데, 저도 아오키 씨도 아이돌의 대사를 쓸 때는 그 아이돌을 제일 좋아합니다. 필자 중에도 여러 타입이 있습니다만, 저희처럼 아이돌의 리액션을 끌어내면서 쓰는 타입은 시나리오를 담당할 때 그 이야기에 등장하는 아이돌의 프로듀서가 됩니다.

아오키 작가상은 각자 다릅니다만, 저도 히가시 씨도 어떻게 해야 그 아이돌의 매력을 가장 잘 전할 수 있을지 생각하면서 쓴다는 점은, 절대로 양보하지 않는다고 생각합니다. 같은 「밀리시타」 세계관에서 시나리오를 쓰고 있습니다만, 히가시 씨가 쓰는 이야기는 제가 쓸 수 없는 것이라는 느낌이 드는 게 정말 신기합니다. 그런 다양함도 「밀리시타」의 매력이라고 생각합니다.

히가시 저야말로 못 쓰는데요(웃음).

──SNS등의 반향을 보고 프로듀서분들의 평판이 좋았다고 생각한 시나리오를 말씀해주십시오.

히가시 여러 가지가 있습니다만, 최근에는 텐쿠바시 토모카의 2곡째 메인 스토리 90화 「새장을 안은 채로」는 곡을 바탕으로 착상을 잘 펼쳐나가면서, 토모카의 스텝업으로 이어갔다고 생각합니다. 자신을 여신, 팬을 아기 돼지라고 부르면서 토모카 님-이라는 성원을 받는 카리스마적인 15세 여자아이라는 존재는, 대체 무슨 기분이고 어떤 걸 끌어안고 있을까. 그런 아이를 지지해주는 프로듀서는 그 아이에게 어떤 존재일까. 기사단의 맹세를 바탕으로 문답을 하면서 표현해낼 수 있었다고 생각합니다. 그리고 「플래티넘 스타 투어~하모닉스~」와 「플래티넘 스타 투어~얼라이브 팩터~」등의, 소위 말하는 청의 계보 시나리오는 아이돌들의 정열과 갈등을 뜨겁게 표현한 덕분에 재미있게 즐겨주시지 않았나 싶습니다.

아오키 스토리를 만들 때는 저도 히가시 씨도 그 곡을 계속 반복해서 듣습니다. 전에는 히가시 씨와 바로 옆자리였는데, 히가시 씨는 항상 헤드폰으로 음악을 듣고 있었죠. 게다가 자리를 비울 때도 계속 틀어놔서, 헤드폰에서 노래가 무한 반복으로 흘러나왔습니다.

히가시 「얼라이브 팩터」는 사흘 정도 틀어놨죠(웃음).

아오키 정말 길었죠(웃음). 제 경우에 메인 스토리는 노래를 들으면서 가사를 받아적었습니다. 계속 듣고 적고, 마지막에 맞는지 틀렸는지 확인하고. 그러다 보면 가사가 문자가 아니라 말이 되어 제 안에 들어오는 기분이 들어서, 반드시 그 작업을 하고 있습니다.

──그런 아오키 씨가 프로듀서분들의 반향이 있었다고 느꼈던 시나리오는?

아오키 잡지 「패미통」 메모리얼 스토리 앙케트에서 몇 번인가 1위를 차지했던, 후쿠다 노리코의 「메모리얼 스토리 3」이려나요. 제가 쓰고 히가시 씨가 검수했던 스토리인데, 아직까지도 지지해주셔서 정말 기쁩니다. 그것 말고는 「플래티넘 스타 테일~성 밀리언 여학원~」등등, 스토리가 분기하면서 전개해가는 방식은 꽤 좋지 않았나 싶습니다. 글자수 제한이 까다로운 상황에서 복수의 시나리오를 만드느라 정말 힘들었지만, 고생한 보람이 있었습니다.

> **완벽하지 않기에 응원하고 싶은 아이돌과,**
> **웃음이 나올 만큼 떠들썩한 점이 매력**

──이야기를 들어보면서 시나리오를 작성하는데

노래가 상당히 중요하다는 걸 알았습니다. 모든 곡이 인상 깊다고 생각합니다만, 굳이 좋아하는 곡을 고르자면?

히가시 굳이 고르자면 시즈 타카네의 「addicted」. 가정용 「아이돌마스터」와 또 다른 타카네의 매력과 요염함이 느껴졌습니다. 그리고 「ABSOLUTE RUN!!!」은 감개무량했죠. 소위 말하는 신호등 세 사람(카스가 미라이, 모가미 시즈카, 이부키 츠바사)이 유닛을 만들고 앞으로 나가려 하는 질주감. 아이돌이 앞으로 나아가는 모습은 마음을 움직이는 힘이 있습니다. 왠지 모르게 「밀리언 라이브!」의 역사와 미래가 느껴지는 점도 좋습니다. 최근의 「한여름의 다이아☆」도 즐거웠죠. 파트 구분이 최고입니다. 그리고 자화자찬인 듯해서 죄송합니다만, 제가작사를 담당했던 「EVERYDAY STARS!!」역시 좋아합니다. 52명의 대사가 도저히 시간 안에 들어가지 않아서, 가이드 보컬 단계에서 사운드 디렉터 사토 타카후미 씨가 매일 저녁마다 「죽어도 안 들어가요!」라고 말했던 것도, 지금은 좋은 추억이죠(웃음).

아오키 굳이 고르라고 해도 정말 고민될 만큼 정말 좋아하지만, 솔로곡이라면 니카이도 치즈루의 「연심 머스컬레이드」, 바바 코노미 씨가 이렇게 노래를 잘 했구나, 라고 놀랐던 「dear…」, 그리고 야부키 카나, 나아가서는 아이돌의 매력을 있는 그대로 표현했다고 생각하는 「주문」을 좋아합니다. 인상적이었던 곡은 「라스트 액트리스」와 「World Changer」등등. 아까도 말했지만 극중극 관련 악곡은 먼저 설정과 간이 플롯을 보내고 곡을 만들게 되는데, 드라마 CD 등에서 시나리오를 최종적으로 조정할 때는 노래가 완성돼 있습니다. 그렇게 전부 완성된 상태에서 다시 들어보면, 제가 썼던 플롯의 세계관을 전부 표현해주셨다는 걸 알게 되면서 작사, 작곡분들이 얼마나 대단한지 새삼 깨닫게 됩니다. 「Girl meets Wonder」때도 이 이야기로 가장 표현하고 싶었던 것을 잘 챙겨주신 것 같아서, 정말 감사했습니다.

히가시 작사가분들은 단어 선정이 정말 대단하죠. 매력적인 말들을 골라서, 리듬에 맞추고.

아오키 그러게요. 작사가 얼마나 어려운지는 제가 작사를 담당했던 「어두운 별, 머나먼 달」에서 체감했

습니다. 이건 작사가 마츠이 요헤이 씨와 같이 작업하면서 많은 도움을 받았는데, 짧으면서도 확실하게 꽂히는 말을 고르는 능력은 저도 갖고 싶습니다.

───같은 「쓰는」 일이지만 작사와 시나리오는 사고방식도, 말을 고르는 것도 다르군요.

아오키 그렇습니다. 신곡에 관해서는 저희가 드린 플롯을 바탕으로 곡을 만들어주시는데, 그 곡을 듣고 저희도 영감이 확 펼쳐집니다. 아이돌들의 매력을 더더욱 발굴할 수 있게 되죠. 노래를 들으면 거기에 지지 않는 시나리오를 만들어야겠다고 자극을 받습니다.

───라이브 공연장에 직접 가시는 경우도 있나요?

히가시 가죠. 운영 스태프로 가게 될 때도 있고, 초대를 받았을 때도 최대한 가보려고 합니다. SNS의 반향도 중요하지만, 프로듀서분들이 기뻐해 주시는 모습을 직접 보면 저도 힘이 납니다. 부담감도 느껴지지만, 그것보다 보람 쪽이 압도적으로 크죠.

아오키 「어두운 별, 머나먼 달」을 실제 라이브로 봤을 때는 울어버렸습니다.

히가시 저는 아오키 씨가 쓴 가사를 본 단계에서 살짝 눈물이 났습니다만(웃음).

아오키 고맙습니다(웃음).

───마지막으로, 두 분이 생각하는 「아이돌마스터」와 「밀리언 라이브!」의 매력에 대해 말씀해주십시오.

아오키 아이돌이 살아있다는 점이라고 생각합니다. 살아있다고 느끼기에 응원하고 싶어지는 게 아닐까요. 「밀리언 라이브!」의 아이돌들은 전혀 완벽하지 않습니다. 그 아이들이 아이돌이 돼서, 고민하면서도 열심히 자기가 할 수 있는 일을 찾고, 무대 위에

서 빛납니다. 살짝 촌스럽고 세련되지 않은 부분도 있지만, 그런 것들도 전부 아이돌들의 매력이라고 생각합니다. 그리고, 특유의 느긋한 분위기. 「아이돌이 그런 일도 해?!」라는 시나리오가 있어도 받아들여 주시는 배려심이, 「밀리언 라이브!」만의 특징이라고 생각합니다.

히가시 「아이돌마스터」 전체에 해당됩니다만, 아이돌 한 사람 한 사람이 무엇보다 중요한 매력의 근원이라고 생각합니다. 하나같이 순수하고 어딘가 맹한 구석이 있고, 소위 말하는 전형적인 행동으로 끝나지 않아서 묘한 리얼리티가 있습니다. 그런 아이돌들이 뭔가를 목표로 삼아서 앞으로 나아가려고 하건, 뭘 목표로 삼아야 좋을지 고민하는 모습을 곁에서 보면서 도와주고 싶다고 생각하는. 그것이 「아이돌마스터」의 매력이라고 생각합니다. 그중에서도 「밀리언 라이브!」는 나도 모르게 웃음이 나올 정도로 떠들썩하고 사랑스러운 점이 특징이라고 생각합니다. 그 모든 것들은 아이돌들이 「극장」을 중심으로 활동하고 있기 때문에. 「MILLIONSTARS」는 중학생 정도 연령층이 많다는 점과 어우러지면서, 학교 같은 분위기가 감돌고 있습니다. 그렇게 매일매일 학교 축제 같은 분위기가 「밀리언 라이브!」에서 흔히 말하는, 어딘가 특이한 자유로움과도 이어지는 게 아닐까요.

아오키 그런 매력적인 아이돌들과 접하기 위한 동선을 그리는 것도 저희가 하는 일입니다. 접하시면 아이돌들의 매력을 알아주실 거라고 자신합니다만, 반대로 생각해보면 접하시지 않으면 매력을 충분히 전할 수 없습니다. 아이돌들의 매력을 전하기 위해, 앞으로도 노력하겠습니다.

국민 아이돌 그룹 전속 스타일리스트 경험

———TSUBASA 씨는 스타일리스트로서 다양한 실적을 남기셨는데, 어떻게 이 일을 하게 되셨나요?

TSUBASA 저희 아버지가 그래픽 디자이너, 어머니가 기모노를 짓는 재봉사 일을 하셨습니다. 그 모습을 보고 자란 것도 있어서, 저도 장래에는 기술을 사용하는 일을 해야겠다고 막연히 생각했습니다. 그 중에서 이 일을 선택한 것은, 초등학교 무렵에 영화와 패션 계열 콜렉션 영상을 본 것이 계기가 됐습니다. 사실 제가 초등학교 무렵에는 학교에 가지 않는 아이였습니다. 학교에 거의 가지 않는 저를 도저히 봐줄 수 없었는지, 아버지께서 「집에서 영화라도 보는 건 어떠니?」라고 말해주셨습니다. 그 무렵에 영화 세계에 관심을 가졌습니다. 그리고 같은 타이밍에 아버지께서 패션 계열 콜렉션 영상을 보여주셨죠. 그 영상에 나온 디자이너분을 동경하게 됐습니다. 거기서 「영화 의상 디자이너가 되고 싶다」라고, 뜬금없이 제 진로를 정해버렸습니다. 그 뒤에는, 어떻게 해야 그 길을 갈 수 있을지 역산했고, 중고등학교를 졸업한 뒤에 일단 전문학교에 들어가는 걸 목표로 삼았습니다. 그 과정에서 옷을 만들 수 있게 되는 쪽이 스타일리스트로서 유리하다는 걸 배웠고, 전문학교에서는 패션 디자인을 포함해서 옷에 대해 여러모로 공부를 했고, 졸업한 뒤에는 일단 광고회사 스타일리스트로 일하기 시작했습니다. 그런데 아무래도 저한테는 회사에서 일하는 것이 안 맞았는데, 점점 일하는 방법과 장래에 대해 고민하게 됐습니다. 그러던 중에, 제 스승이라고 할 수 있는 분께서 어시스턴트를 모집하셨고, 큰 마음 먹고 이력서를 보냈죠. 그렇게 해서 저는 스승님 밑에서 일하게 됐습니다.

———스승님은 어떤 분이신가요?

TSUBASA 영화나 드라마, 광고 일을 하시고 연기자의 전속 스타일리스트로 활약하시던 분입니다. 그분과 만난 것이 계기가 돼서, 자연스럽게 연예계에도 관여하게 되었죠. 그 뒤에 독립해서 한동안 스타일리스트로 일을 했는데, 왠지 다른 일도 해보고 싶다는 생각이 들어서 말이죠(웃음). 일단 스타일리스트를 그만두고 출판사에서 일했습니다.

———지금까지 계속 스타일리스트 일만 해오신 건 아니셨군요.

TSUBASA 그렇습니다. 그 뒤에 잠깐 쉬었던 시기도 있는데, 그때 아는 분께서 「어떤 아이돌 그룹 의상 팀에 사람이 부족한데, 좀 도와줄 수 있겠어?」라고 권유하셨습니다. 그전까지는 해보지 않았던 아이돌 의상 일을 하게 된 것은, 그것이 계기였습니다.

———그러셨군요!

TSUBASA 당시에는 아직 폭발적으로 인기를 끌기 전이었는데, 이래저래 하는 사이에 국민 아이돌 그룹까지 성장했습니다. 그 뒤로 2013년까지는 그 아이돌 그룹 전속 의상팀으로 일했고, 그 뒤에는 프리랜서 스타일리스트로 활동하고 있습니다.

「밀리언 라이브!」와의 만남은 어떤 분과의 인연 덕분이었다

———그런 경위가 있는 TSUBASA 씨가 「밀리언 라이브!」에 관여하게 된 계기를 말씀해주세요.

TSUBASA 먼저 성우분의 일에 관여하게 된 계기는, 지금도 관계가 깊은 성우분의 매니저를 맡고 있던 아는 분의 소개 덕분이었습니다. 그분은 원래 그 아이돌 그룹 멤버가 소속된 사무소의 매니저를 하셨던 분입니다. 그

아이돌마스터 밀리언 라이브!

라이브 의상 제작&디자인

시모다 츠바사

인터뷰

라이브의 주인공은 춤추고 노래하는 아이돌. 하지만 아이돌들이 더욱 눈부시게 빛나기 위해서는 스태프의 존재도 필요불가결. 그 스태프 중 하나가 「의상 디자인 제작」. 오랫동안 「밀리언 라이브!」의상 디자인 제작을 담당한 TSUBASA(시모다 츠바시) 씨는, 국민 아이돌 그룹의 스타일링도 담당한 적이 있는 스페셜리스트. 그런 시모다 씨는 「게임과 현실의 아이돌 모두가 귀엽고 매력적」으로 만드는 것에 고집하고 있다.

런 분께서 제가 프리랜서가 됐을 때, 「우리 회사 성우 부문에 소속된 어떤 성우분의 스타일링을 맡아 주시겠어요?」라는 제안을 해주셨습니다. 이제 막 프로로 일을 시작한 저한테는 정말 고마운 이야기였죠. 지금도 그 회사 있는 쪽으로는 발을 뻗고서 자지도 않고, 많이 힘든 일이라도 「할게요」라고 대답합니다(웃음). 그런 인연이, 이번에는 「밀리언 라이브!」에 관여하는 계기도 됐었죠.

───── 그 성우분과의 인연이 「밀리언 라이브!」와도 인연

을 맺게 해줬군요.

TSUBASA 그렇습니다. 당시에 그 성우분의 아티스트 레이블 담당자분이 「밀리언 라이브!」 일도 맡고 계셨습니다. 그분은 「THE IDOLM@STER MILLION LIVE! 1st LIVE HAPPY☆PERFORM@NCE!!」가 끝난 뒤에 「다음 라이브는 더 아이돌같은 의상으로 하고 싶다」라고 생각하셨다는 것 같습니다. 그래서 아이돌 그룹의 의상 제작을 담당했던 경험이 있는 저한테 기회가 온 거죠.

───── 그렇다면 TSUBASA 씨가 「밀리언 라이브!」에 관여하기 시작한 건 「THE IDOLM@STER MILLION LIVE! 2nd LIVE ENJOY H@RMONY!!」(이하 「2nd LIVE」)부터?

TSUBASA 예. 2nd 라이브부터 지금까지 관여하고 있습니다. 주년 라이브 외에도 감사제, 발매 이벤트에서도 가동하고 있었으니까, 얼마 전까지는 거의 매달 「밀리언 라이브!」와 관계된 일을 해왔습니다.

───── 일로 관여하기 전에도 「아이돌마스터」를 알고 계셨나요?

TSUBASA 사실 아이돌 그룹 의상을 담당하던 시절에, 당시의 「반다이 남코 게임즈」 쪽에서 그 아이돌 그룹의 게임이 나온 적이 있었습니다. 그때 「반다이 남코 게임즈」 담당자분이 멤버에게 「아이돌마스터」 게임을 소개해주셨습니다. 그 담당자분과 촬영 현장으로 가는 버스 안에서 「다양한 게임이 있군요」라는 이야기를 햇던 기억이 남아 있습니다. 설마 이렇게 오랫동안, 그리고 깊이 「아이돌마스터」와 「밀리언 라이브!」에 관여하게 되리라고는 꿈에도 생각하지 못했습니다.

───── 이야기를 들어보니 다양한 인연이 있어서 현재까지 이어져 왔다는 기분이 드는군요.

TSUBASA 그러게 말이죠. 제가 운과 인연 하나는 타고난 것 같다고 생각합니다. 여기까지 올 수 있었던 것은 지금까지 만났던 많은 분 덕분입니다. 항상 감사하면서 일하고 있습니다.

> **「밀리언 라이브!」의 라이브 의상은 연기자한테 어울리기만 해서는 안 된다.**

───── 「밀리언 라이브!」의 의상 제작을 담당하면서, 지금까지의 스타일리스트 일과 다른 점이 있었나요?

TSUBASA 많이 달랐습니다. 지금까지 아이돌 의상 담당으로서 해왔던 일 중에 80% 정도가 통하지 않을 정도로.

───── 구체적으로 어떤 점이 달랐나요?

TSUBASA 일단 가장 큰 점이라면 라이브에 출연하는 연기자분이 「예쁘다」나 「어울린다」로 의상을 정할 수 없다는 점입니다. 연기자분이 귀엽고 멋지게 노래하고 춤출 수 있고, 그러면서 게임 속 아이돌의 이미지를 무너트리지 않도록 해야만 합니다. 지금까지는 무대 위에 올라가는 여자애들이 귀엽게 보이기만 하면 그게 정답이었기 때문에, 큰 문화 충격을 받았습니다.

───── 그럼 게임 속 아이돌까지 이해하지 않으면 「밀리

TSUBASA 씨가 지금까지 맡았던 의상의 자료. 이벤트 때마다 의상 제작 팀이 꼼꼼하게 정리해줬다.

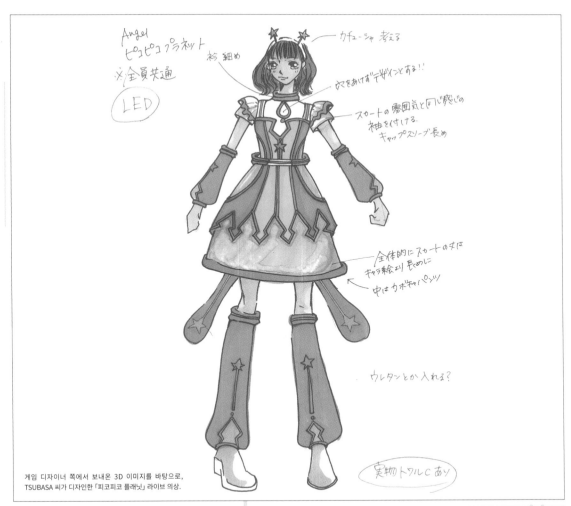

Angel
ピュピコプラネット
※全員共通
LED

カチューシャ 考える

衿 細め

穴をあけずデザインとする!!

スカートの雰囲気と同じ感じの
袖をつける。
キャップスリーブ長め

全体的にスカートの丈は
キャラ絵より 長めに
中はカボチャパンツ

ウレタンとか入れる?

実物トワルC あり

게임 디자이너 쪽에서 보내온 3D 이미지를 바탕으로,
TSUBASA 씨가 디자인한 「피코피코 플래닛」 라이브 의상.

이쪽은 5월에 열렸던 7th 의상의 초기안. 이미 완성 이미지와 상당히 비슷하다는 걸 알 수 있다.

試着
衣装を試着したアイドルの姿を確認することもできます

실제 게임속에서 아이돌이 착용한 「피코피코 플래닛」의상.

언 라이브!」의 의상은 절대로 만들 수 없다고 해도 과언이 아니겠군요.

TSUBASA 그렇죠. 그래서 처음에는 아이돌들의 자료를 받아서, 아이돌들에 대해서 열심히 공부했습니다. 동시에, 제 경우에는 연기자분의 스타일링을 하는 입장이니까, 그 연기자분들 하나하나에 대해서도 알아야만 했습니다. 그래서 연기자분에 대해서도, SNS나 블로그를 읽으면서 조사했었죠. 조사하는 중에 알게 된 점은 「밀리언 라이브!」는 연기자 분이 게임속 아이돌과 닮았다는 것이었습니다. 놀랍게도 내면도 외면도 매년 닮아가는 것처럼 느껴집니다. 이건 그냥 연기하는 정도로는 일어나지 않는 일이니까, 말로 표현하는 것 이상으로 대단한 일이라고 생각합니다.

——이어서, 실제로 의상을 만드는 공정에 대해 가르쳐주세요.

TSUBASA 먼저 「밀리시타」 게임 디자이너께서 「다음 의상은 이런 디자인이 됩니다」라는 3D 이미지와 설정자료를 보내주십니다. 거기에는 아이돌의 색이 어디에 들어가는지, 세세한 디테일과 이미지는 어떻게 되는지에 대한 정보도 첨부되어 있습니다. 그 자료를 바탕으로 가능한 3D 이미지의 의상에 가까운 모양으로 연기자분이 입을 라이브 의상 디자인을 만드는 것이 제가 하는 일입니다. 최근에는 먼저 MV도 보내주시는 덕분에, 아이돌이 입은 의상에 조명이 비치면 어떻게 되는지, 어떻게 반짝이는지도 알 수 있습니다. 그걸 바탕으로 어떤 원단을 사용할지 상상하고 발주하고 있죠.

——TSUBASA 씨가 원단을 고르시는군요.

TSUBASA 물론 많은분들과 상담하기도 하지만, 기본적으로는 그렇습니다. 원단의 방향성이 정해지면 공장 담당자분께 두세 가지 정도 패턴의 원단을 준비해달라고 부탁드리고, 가봉 샘플도 주문합니다. 여기까지의 작업은 라이브 약 2개월 전까지 마칩니다. 그 샘플에 조명을 비춰보면서 「밀리언 라이브!」의 라이브 제작팀과 게임 디자이너분, 그리고 라이브 연출을 담당하는 JUNGO 씨께 체크를 부탁드려서 원단과 색감의 방향을 조정하고, 라이브에 출연하는 연기자분의 희망 사항을 반영해서 모양을 조절하고, 최종 조정을 하는 순서로 진행됩니다. 연기자분의

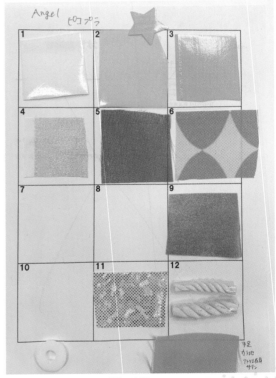

Angel 타입컬러

「피코피코 플래닛」 라이브 의상에서 사용한 소재 일람.

희망 사항을 거의 파악할 수 있게 돼서, 예전보다는 원활하게 진행할 수 있게 됐습니다. 어떤 출연자분은 배를 드러내고 싶어한다든지 말이죠(웃음). 하지만 「밀리시타」에서 아이돌이 입는 의상과 연기자분의 희망 사항에 너무 큰 차이가 있는 경우에는 일단 관계자분께 여쭤봅니다. 저 혼자서 진행하지 않으려 하고 있습니다.

「밀리시타」 게임에서 아이돌이 입는 의상과 현실 세계의 아이돌 의상의 차이

——「밀리언 라이브!」 의상을 제작하면서 의식하는 점이 있으신지요.

TSUBASA 좀전부터 말씀드린 내용과 중복되는 부분입

실제 라이브에서 사용한 「뤼미에르 파피용」 의상.
세세한 부분까지 신경 써서 만들었다는 걸 알 수 있다.

제작 중인 「뤼미에르 파피용」 의상의 부품 일부. 색감 조정이 얼마나 힘든지 느껴진다.

이쪽은 「뤼미에르 파피용」의 게임 의상 설정 일부.

니다만, 먼저 현실 세계와 「밀리시타」 속의 아이돌이 입는 의상의 차이를 좁히는 것. 프로듀서분들은 아이돌을 보기 위해서 라이브에 오시는데, 「밀리시타」에서 아이돌이 입은 의상과 라이브 무대에 있는 연기자분이 입은 의상이 다르다면, 강제로 현실 세계로 돌아가 버리게 된다고 생각합니다. 「밀리시타」 세계관과 다르다고 느낀 순간, 프로듀서분의 마음은 멀어져 버리게 됩니다. 무대에 선 연기자분이 아이돌 그 자체를 보여주고 계신데, 그걸 망칠 수는 없습니다. 저희 스태프는 그런 일을 하고 있습니다. 하지만 「밀리시타」 게임에서는 표현할 수 있지만 현실 세계에서는 도저히 재현할 수 없는 것도 있으니까요. 재현할 수 없는 이유라면, 라이브에서 그 의상을 입으면 물리적으로 사람을 다치게 할 가능성이 있다든지, 라이브 퍼포먼스에 크게 영향을 주는 경우 등이 있습니다. 그럴 때는 「밀리시타」 제작 팀과 상담해서 생략할 부분을 정하죠. 개인적으로는 「THE IDOLM@STER 6thLIVE TOUR UNION@IR!!!!」(이하 「6th라이브」) 센다이 공연에서 막이 올라간 순간에 객석이 술렁거렸던 일을 잊을 수 없습니다.

———— 6th라이브에서는 각 출연자분이 유닛별 개별 의상을 입으셨죠.

TSUBASA 맞습니다. 「『밀리시타』하고 완전히 똑같다!」라는 목소리를 들었을 때는 정말 기뻤습니다. 거기서 「밀리언 라이브!」의 새로운 막을 열었던 게 아닐까요.

———— 차이를 메우기 위해, 라이브 출연자나 스태프와 상담하는 경우도 있나요?

TSUBASA 있습니다. 아이돌을 연기하는 캐스트분들은 정말 사이가 좋은데, 스태프도 거기에 휘말려서 팀이라는 느낌이 강해져 가는 기분이 듭니다. 리허설에서도 의문이라고 생각된 부분은 주저하지 않고 라이브 제작 팀이나 JUNGO 씨한테 이야기 할 정도의 관계죠. 옷을 갈아입을 장소나 타이밍 등에서, 저희 스타일리스트, 헤어 메이크 팀이 알아차린 부분은 적극적으로 전해드리려 하고 있습니다. 반대로 의상에서 신경 쓰인 점이 있는지, 리허설을 마친 뒤에 반드시 라이브 제작 팀에게 여쭤보고 있습니다. 그리고 고쳐야 할 부분은 본 공연 직전에라도 고칩니다. 헤어 메이크 분과도 반드시 스토리니케이션을 하면서 말이죠. 의상의 일부로 머리 장식을 만드는 경우가 있는데, 역시 물건에 따라서 달기 쉽고 어려운 것이 있겠죠. 그런 정보를 헤어 메이크 파트와 공유하면서 연기자분의 머리 모양을 어떻게 어레인지 할지 정하게 합니다. 헤어 메이크분들도 「밀리언 라이브!」를 이해하고 계신 분들이니까, 타나카 코토하는 카츄샤를 쓴다든지 같은 아이돌들의 기본 정보도 파악하고 있습니다. 그래서 의사소통을 하기도 편합니다. 서로가 생각한 것을 담아두지 않고 말할 수 있는 이 환경은 정말 훌륭하다고 생각합니다.

———— 그밖에 「밀리언 라이브!」의 의상을 제작하면서 특히 신경 쓰는 포인트가 있으신지요?

TSUBASA 최종적으로는 각 아이돌에게 맞춰서 의상을 만드는데, 아이돌의 나이나 개성에 맞춰서 치마 길이를 크게 세 가지 패턴으로 분류하고 있습니다. 청순한 이미지가 강한 아이돌은 조금 길게, 아가씨 같은 아이나 나이가 어린 아이돌은 길게, 나머지는 기본 길이입니다. 이건 「2nd 라이브」 때 지침이 정해졌습니다. 슬슬 한 번 재검토할 때가 되지 않았나 싶기도 합니다.

공연장의 넓이나 조명을 받는 방법은, 의상의 원단 선택을 좌우하는 포인트

———— 의상을 제작할 때, 공연장의 넓이도 고려하시나요?

TSUBASA 엄청나게 생각하죠. 홀에서 하는지 커다란 아리나에서 하는지에 따라 치마의 볼륨감을 조정합니다. 예를 들어서 파니에를 부풀리면 풍성하고 귀엽게 보이지만, 공연장에 따라서는 너무 거창하게 보일 수도 있습니다. 물론 예외도 있습니다. 「밀리시타 4주년!!! Anniversary 4you! 생방송」에서 입었던 새 의상이 그 경우입니다. 그건 일부러 치마의 볼륨감을 크게 만들었습니다. 그건 「밀리시타」 제작팀의 요청이었습니다. 그리고, 역시 조명도 신경씁니다. 조명에 따라 원단을 고르는 방법이 크게 달라지니까요. 아까도 말씀드린 대로 먼저 「밀리시타」의 MV에서 아이돌이 입은 의상이 빛에 어떻게 반응하는지를 보고 원단을 정하는데, 멋진 의상이라는 건 그저 눈에 띄거나 번쩍인다고 다 되는 게 아닙니다. 조명이 꺼졌을 때는 무광 소재 쪽이 예쁘게 보이기도 합니다. 예를 들자면 「야상영양 -GRACE&E NOCTURNE-」의 의상. 조명이 꺼져도 눈에 띄고, 조명을 받았을 때는 더 번쩍번쩍 빛나는 의상이면 그 어두운 세계관을 망가트리겠죠. 빛나는 느낌을 자제하면서 조명이 비치지 않아도 돋보이는 걸 의식해서, 그 의상에는 벨벳이라는 색의 깊은 맛이 드러나는 원단을 사용했습니다. 가죽도 사용한 탓에 엄청나게 무거웠을 텐데, 유닛 멤버들은 그런 느낌을 전혀 드러내지 않고 멋진 라이브와 연기를 보여주셨습니다. 반대로 「Jelly Pop Beans」의 의상은 레트로 팝이라는 세계관을 표현하기 위해서 에나멜 소재를 사용했습니다. 이 두 의상을 비교해보면 조명을 받았을 때 빛나는 느낌이 전혀 다르다는 걸 알 수 있지 않을까요. 그리고 「4 Luxury」 의상에는 벨루어라는 원단을 썼고, 「D/Zeal」 의상은 글리터가 들어간 원단에 체크무늬를 프린트하는 등, 각 세계관과 아이돌에 맞춰서 원단을 고르고 있습니다.

———— 원단에 따라서 보이는 방식이 크게 달라지는군요.

TSUBASA 그렇습니다. 예를 들어서 같은 새틴을 사용하더라도 무광으로 할지 광택감을 줄지에 따라서, 최종적으로 고르는 원단이 바뀝니다. 원단을 정하는 공정은 힘들지만, 가장 보람을 느끼는 부분이기도 합니다. 참고로 「밀리언 라이브!」는 연기자분들이 조명을 잔뜩 받으니까, 사전에 그것까지 계산해서 원단을 고르고 있습니다.

의상 만들기가 막혔던 때 나타난 「트윙클 리듬」의 무기 장인

———지금까지 많은 「밀리언 라이브!」 의상을 제작하셨습니다. 전부 좋아하실 거라고 생각합니다만, 그중에서도 특히 인상깊은 의상이 있으실까요?

TSUBASA 6th라이브 쯤이 특히 그렇기는 합니다만, 게임 디자이너분이 보내주시는 의상의 디테일이 매년 점점 더 대단해집니다. 해를 거듭해질수록 디테일해지고 있죠. 예를 들자면 「밀리시타」 2주년 기념 공통 의상이었던 「뤼미에르 파피용」. 설마 어깨와 팔에 단추 같은 특수한 부품, 허리 부분에도 특수한 금속 부품이 붙을 거라고는 상상도 못 했습니다. 이 의상의 게임 의상 설정과 디자인 이미지를 받은 게 6th라이브 투어 중이던 때였습니다. 사실은 그 조금 전에, 「Escape」 의상에 달았던 조명이 막상 라이브에서 불이 켜지지 않는 트러블이 발생해서 상당히 풀이 죽어 있던 때였습니다. 그런 타이밍에 「뤼미에르 파피용」의 디자인이 들어왔으니, 이건 라이브 실전에서 불이 켜지지 않은 「Escape」 의상을 만든 제게 떨어진 시련이라고 생각했었죠(웃음). 그런 심경이다 보니, 다음에는 실패하지 않겠다고 의욕을 발휘해서 디자인을 진행했습니다만, 디자인 안에 첨부된 전달사항을 자세히 봤더니 단추 같은 부품이 종류별로 각각 39색, 아이돌 컬러로 만들어야 한다고 적혀 있었습니다. 그 무렵에는 3D 프린터로 소품을 만드는 정도는 가능한 상황이기는 했지만, 아무리 그래도 저… 아니, 의상 팀이 할 수 있는 범주를 넘은 일이었습니다. 이거 정말로 재현할 수 없을지도 모른다고 고민하는 날들이 지나가고 있는데, 신께서 나타나셨습니다. 무기 장인이.

———무기 장인이요?

TSUBASA 예(웃음). 6th라이브에서 「트윙클 리듬」 세 명이 무기를 들고 있었잖아요.

———아, 그랬죠!

TSUBASA 저희는 그 무기를 만드신 분을 무기 장인이라고 부르고 있습니다. 6th라이브를 준비하던 중에 우연히 그분을 만나서 「이런 단추 같은 부품이랑 허리 부품을 39가지 색으로 만들 수 있을까요」라고 여쭤봤더니, 「한 번 해보죠」라고 말씀하셨습니다. 그 구슬, 사실은 전부 장인분께서 색감을 조합해서 물들이셨습니다. 그게 각 아이돌의 이미지 컬러나 리본의 색감과 딱 맞았죠. 그야말로 장인의 기술로 만든 물건입니다. 6th라이브 이후의 의상은 다양한 기믹이 들어가다 보니, 많은 분의 협력을 받아서 만든 것들이 많습니다.

———다시 생각해보니, 39가지 색을 준비하는 건 정말 힘들겠네요.

TSUBASA 그러게 말이죠. 게다가 「MILLIONSTARS」 아이돌의 이미지 컬러는 전부 중간색이거든요. 기본 소재로는 만들 수 없는 색이 이미지 컬러인 아이돌도 있어서, 리본 같은 경우에는 색을 물들이고 있습니다. 사소한 색 차

이지만, 그런 곳까지 신경 쓰고 있습니다.

———그밖에, 지금까지 만든 의상 중에서 특이한 기믹의 예를 말씀해주실 수 있는 범위 안에서 부탁드리겠습니다!

TSUBASA 빛나는 것이라면, 「밀리시타」 3주년 기념으로 만들었던 「인피니트 스카이」로군요. 「밀리시타 감사제 2020~2021 ONLINE」에서 착용한 모습밖에 못 보여드렸는데, 그 의상에는 「오로라 리플렉터」라는 무지개빛으로 빛나는 반사 소재를 사용했습니다. 「Escape」 때는 LED를 사용했지만 「인피니트 스카이」 의상은 MV에서 표현된 것처럼 빛이 계속 달라지기 때문에, LED로는 실현할 수 없습니다. 이건 또 어떻게 해야 좋을지 고민하던 때, 우연히 SNS에서 알게 된 원단 업자께서 「오로라 리플렉터」를 가지고 계셨습니다. 정말 다양한 인연을 통해서 의상이 완성됩니다.

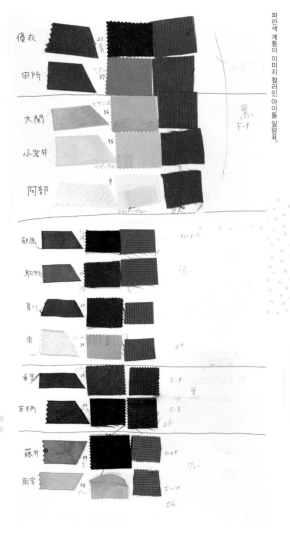

파란색 계통이 이미지 컬러인 아이돌 일람표.

디자인성과 기능성을 겸비한
라이브 의상이 완성된 이유

———얼마 전에 개최된 「THE IDOLM@STER MILLIOn LIVE 7thLIVE Q@M FLYER!!! Reburn」(이하 「7th라이브」) 의상도 프로듀서분들께 호평이었죠.

TSUBASA 그게, 사실은 처음으로 의상을 먼저 만들었던 것입니다. 그 라이브는 첫 야외 라이브이기도 해서, 지금까지와 다른 방식으로 의상을 준비하자는 이야기가 나왔고, 그리고 의상을 먼저 만들자는 쪽으로 흘러갔습니다. 의상 아이디어는 먼저 라이브 제작 팀과 JUNGO 씨한테

「7th 라이브」의 의상에 채용된 끈의 디자인 샘플. 빼삐용 마크가 인상적.

서 「캠핑복을 입은 아이돌이 아니라 아이돌이 캠핑복을 입으면 어떨까, 라는 디자인이면 좋겠다」라는 주문을 받았습니다. 하지만 캠핑복은 실용 의상. 최근에는 예쁜 디자인도 많이 나오고 있지만, 기본적으로는 디자인보다 기능성을 우선한 것이 많습니다. 그래도 아이돌이 입는 의상이니까 반짝이는 느낌에 광택도 필요하겠죠. 한편으로 후지큐 하이랜드 코니파 포레스트 야외에서 개최하니까, 비나 방한 대책도 고려해서 원단을 골라야 합니다. 디자인성과 기능성 사이에서, 어떤 원단을 골라야 좋을지 정말 고민했습니다. 그러던 때에, 다른 일에서 알게 된 아웃도어 용품과 작업복 브랜드 담당자분과 이야기 할 기회가 있었습니다. 그분께 「반짝이는 느낌을 유지하면서 방수 기능도 살릴 방법이 있을까요」라고 여쭤봤더니 「있죠」라는 대답이 돌아왔습니다. 그걸로 고민하던 원단 문제를 해결했습니다. 그분의 기술과 지식이 없었다면 아웃도어 용으로 사용하던 기존 원단을 사용하는 수밖에 없었을 겁니다. 이번 같은 기능성도 디자인도 양립한 의상은, 절대로 완성하지 못했겠죠.

———어깨에 달린 검은 끈도 인상적이었습니다.

TSUBASA 그건 어떤 의미에서 보자면 라이브가 한 번 연기된 덕분에 실현된 것입니다. 라이브가 연기되면서 아이돌들이 이번 라이브 의상을 착용한 일러스트를 준비하게 됐는데, 완성된 일러스트를 봤더니 의상에 그 끈이 추가돼 있더라고요. 그렇다면 저도 거기에 맞춰줘야겠다고 생각했죠. 원래는 예정이 없었지만, 이런 부분에서도 차이를 없애기 위해서 라이브 의상에도 도입하게 됐습니다.

TSUBASA 씨가 꼭 실현하고 싶고,
힘들더라도 만들고 싶은 의상

———앞으로 「밀리언 라이브!」에서 어떤 의상을 만들고 싶으신가요?

TSUBASA 라이브 제작팀에 계속 얘기하고 있는 게, 아이돌 한 사람 한 사람이 다른 개인 의상. 제 무덤 파는 소리일 수도 있지만, 그래도 연기자분들이 개인 의상을 입고 아이돌로서 눈부시게 빛나는 모습을 보고 싶습니다. 그리고 지금까지 많은 의상을 만들어왔으니까, 모든 곡에서 다른 의상을 입는 데 도전해보고 싶습니다. 예를 들어서 오프닝에서는 다 같이 레슨복, 그리고 라이브 중에 의상이 점점 호화로운 것으로 변해간다든지. 그런 걸 할 수 있다면 재미있을 것 같습니다. 이건 아마, 다른 「아이돌마스터」 콘텐츠에서도 해본 적이 없을 겁니다. 10th라이브때까지는 저한테 시켜주세요(웃음).

———실현될 날을 기대하겠습니다. 지금까지 많은 이야기를 해 주셨는데, 마지막으로 TSUBASA 씨가 생각하는 「밀리언 라이브!」의 매력에 대해 말씀해 주세요.

TSUBASA 하나는 근성이라고 생각합니다. 아이돌도 연기자도, 다들 근성이 대단한 것 같습니다. 포기하지 않고 한 걸음씩 앞으로 나아가는 모습을 보고 있으면 저도 모르게 응원하고 싶어집니다. 그리고 「밀리언 라이브!」 프로듀서분들까지 포함해서, 단결력도 매력이라고 생각합니다. 부도칸 라이브 때 펑펑 우시는 프로듀서분들을 봤는데, 그 모습이 제 가슴을 크게 울렸습니다. 멤버, 스태프에다가 아이돌을 응원하는 프로듀서들이 아이돌들을 위해서 눈물을 흘리는 콘텐츠라니, 정말 대단하지 않나요. 아이돌은 물론이고, 저는 프로듀서분들도 소중하게 여기고 싶다고 생각합니다. 그렇게 모두를 소중하게 여긴다면 틀림없이 더욱, 더더욱 대단한 콘텐츠가 될 거라고 생각합니다.

———마지막으로 그런 프로듀서분들께 한마디 부탁드리겠습니다.

TSUBASA 항상 SNS 등에서 코멘트를 주시고, 저 같은 스태프한테도 응원하고 있습니다! 라고 말해 주셔서 정말 기쁩니다. 앞으로도 오랫동안 여러분과 아이돌들을 지켜볼 수 있다면 좋겠습니다!

라 이 브 의 상 소 개

1년 연기를 거쳐서 「아이돌마스터 밀리언 라이브!」 첫 야외 라이브로 개최된 「THE IDOLM@STER MILLION LIVE 7thLIVE Q@AM FLYER!!! Reburn」.

액티브 스타일

세로줄 무늬 블라우스와 점퍼스커트로 구성된 걸스카우트 스타일에 잘 어울리는 가슴의 스카프가 특징.
멜빵은 뒤쪽에서 교차되는 모양. 오른쪽 멜빵에는 각 캐스트가 연기하는 아이돌의 컬러가 들어갔다.

대각선

정면

뒤쪽

THE IDOLM@STER MILLION LIVE! 7thLIVE Q@MP FLYER!!! Reburn

야외만의 해방감과 연출 등, 큰 성황을 이뤘던 이 라이브에서 캐스트가 착용한 의상은 두 종류. 그 두 종류 의상을 완전 소개!

판초 스타일

야외 라이브다 보니 우천 대책으로 방수 기능을 갖춘 것이 큰 특징. 앞 페이지에서 소개한 의상 위에 착용한다. 파카처럼 후드도 달려서 방수, 방한 대책은 완벽. 이 판초 색도 각 캐스트가 연기하는 아이돌의 이미지 컬러에 맞췄다.

정면

대각선

뒤쪽

아이돌마스터 시리즈 코믹스
관련 신간 안내

아침놀은 황금빛 ④
THE IDOLM@STER

대호평 발매 중
정가 6,000 원

고등학교 2학년 오토나시 코토리는 학교 축제의 라이브에서 노래를 부른다.
타카기는 그 모습에서 어머니 코토미를 느끼고, 결단한다.
TV애니메이션 「THE IDOLM@STER」 사이드 스토리, 제4권

THE IDOLM@STER MILLION LIVE! THEATER DAYS
Brand New Song ④

대호평 발매 중
정가 6,000 원

약진하는 「FleurS」와 고민하는 소녀들이 날개짓하는 이야기
「아이돌마스터 밀리언 라이브! 시어터 데이즈」
대망의 코미컬라이즈 등장!

아이돌마스터 밀리언 라이브!에 대한 생각

독자 투고
코너
THE IDOLM@STER MILLION LIVE!
THEATERDAYS
★ ★ ★

▲ 아크혼P

반가운 「밀리언 여학원」! 설마 다시 즐길 수 있을 줄은 몰 랐는데, 처음 발표됐을 때는 기쁘기도 하고 놀랍기도 하고 … 그런 기분이었습니다. 게다가 세계관이 더 커졌어! 그 리고 교복을 입고서 노래하고 춤을? 그 세계관을 너무 나 좋아했던 저는, 실제로 플레이 해보고 정말 대만족인 데 다 기왕이면 더, 좀 더! 같은 기분… 이었는데, 세계관이 더 커진데다 생각도 못했던 속편…! 얼마나 더 커질지 상상도

못하겠지만, 앞으로도 즐길 수 있는 것들이 더 많아져서 그저 기쁠 뿐입니다. 그리고 또, 격투 게임까지 나오다니, 더 놀랐네요(웃음). 실제로 오락실에 이런 게임이 있을 것 도 같습니다…!
[익명 희망이라는 이름의 사람P]

★ ★ ★

「밀리시타」에 새롭게 실장된 세컨드 헤어를 정말 좋아합 니다! 머리 모양이 달라지는 것만으로도 이렇게나 인상 이 달라지는 건가! 라는 사실을 새롭게 알았습니다. 힘찬 아이가 청순하게 보이거나 그 반대도 있다는 걸 정말 잔 뜩 알게 됐습니다. 제가 담당하는 아이돌의 세컨드 헤어 는 아직 안 나왔지만, 나오기를 간절히 기다리고 있습 니다!
[크리스카P]

★ ★ ★

「밀리시타」에 새로운 기능과 시스템이 차례로 탑재되고 있군요. 아무래도 같은 일을 계속 반복하는 경우도 많은 상황 속에서, 정말 재미있게 즐기고 있습니다. 세컨드 헤 어스타일처럼 외모가 달라지는 것도 있고, 라이브를 연속 으로 한다든지 하는 새로운 게임 시스템도 등장했는데, 앞 으로는 어떤 것을 해주실지 기대하고 있습니다. 그런 의미 에서도 「밀리언 매거진」의 스태프 인터뷰는 게임 시스템 등에 관여하는 분들의 이야기를 들을 수 있어서, 개인적으 로는 정말 기쁩니다. 이런 분들의 이야기를 들을 기회가 그 렇게 많지 않은데, 앞으로도 「밀리언 매거진」이기에 가능

한 스태프 인터뷰 등을 많이 다뤄주셨으면 좋겠습니다!
[미드P]

★ ★ ★

5월에 후지큐에서 개최했던 7th라이브 「Q@MP FLYER!! Reburn」, 운 좋게 첫날 공연을 현지에서 볼 수 있었습니 다! 이런 시기다 보니 과연 어떻게 될지 당일까지 계속 불 안하기도 했지만, 막상 가서는 첫 야외 공연장을 보고 엄청 나게 흥분! 시작하기 전부터 계속 신이 나 있었습니다. 그 리고 막상 시작한 뒤에는 점점 어두워져 가는 밤하늘에 울 리는 노랫소리에 그저 감동에 또 감동…! 소리를 못 지르 는 게 너무 답답했지만, 그래도 덕분에 노랫소리를 제대로 들을 수 있었고, 끝나고 보니 정말 훌륭한 라이브였습니 다. 정말 힘든 시기에 개최한 공연이었지만 출연자 여러분 과 스태프 여러분, 멋진 추억을 만들어주셔서 정말 감사합 니다.
[하나하나P]

★ ★ ★

첫 야외 라이브라서 꼭 가고 싶었지만 아쉽게도 현장에는 가지 못했고, 대신에 인터넷 중계로 봤지만 정말 좋았습니 다. 중계에서는 보통 라이브와 또 다르게, 실시간으로 많 은 사람들과 교류하면서 볼 수 있었는데, 의외의 즐기는 방 법을 발견한 것 같은 기분이었습니다. 물론 라이브 현장에 서 보고 싶은 마음은 굴뚝같았지만, 현지의 분위기를 이렇 게 맛본 것만으로도 충분히 감사한 일이고, 퍼포먼스는 중 계로 봐도 정말 감동적이었습니다. 정말 고맙습니다, 밀 리언 라이브!
[BATP]

★ ★ ★

「밀리언 라이브!」의 노래는 전부 좋아하는데, 새롭게 추가 된 「절대적 Performer」에는 정말 한 방 먹었습니다. 곡조 도 취향에 맞고, 유닛 자체도 좋아하다 보니 개인적인 보정 이 들어갔을 가능성도 큽니다만(웃음), 그런 보정을 빼고 들어도 역시 좋은 곡! 가사도 정말 좋아서 피곤할 때나 약 간 풀이 죽었을 때 집에 오는 전철 안에서 그 노래를 들으 면, 그것만으로도 힘이 납니다. 그 덕분에 이벤트도 저 나 름대로 열심히 할 수 있었고, 정말 인상적이었습니다. 그 리고 설마 그 노래를 라이브로 듣게 될 줄이야! 온라인 중 계로 시청했지만, 처음 시작 부분만 봤는데도 눈물이 날 저 도로 감동했습니다. 앞으로 힘이 나게 해주는 곡을 기대하 겠습니다.
[스페셜 위크P]

▲ 폰P

투고 모집 공지(일본)

여러분의 「아이돌마스터 밀리언 라이브!」에 대한 생각, 유닛에 대한 생각, 좋아하는 곡이나 이벤트, 담당 아이돌에 대한 생각 등을 글이나 일러스트로 보내주세요! 뜨거운 마음을 메시지에 담아보세요!
많은 투고를 기다리고 있겠습니다!

· 투고할 때는 책에 게재해도 되는 P 네임을 반드시 적어주세요.
· 보내신 문장을 게재할 때 일부를 생략할 수도 있습니다. 양해해 주십시오.
· 일러스트는 png, jpg, psd 포맷 중 하나로 보내주십시오.
· 메일로 보낼 경우, 일러스트의 용량은 5MB 이하로 부탁드리겠습니다.

보내실 곳

★우편 등으로 보낼 때
주소
〒160-0022
도쿄도 신주쿠구 신주쿠 3-1-13
케이오 신주쿠 오이와케 빌딩 5층
주식회사 이치진샤
밀리언 라이브 매거진 편집부
투고 코너 담당자 앞
★이메일로 보낼 경우
주소
millionmagazine@ichijinsha.co.jp

illustration by
ima

THE IDOLM@STER
MILLION LIVE!
THEATER DAYS

ANTHOLOGY

ILLUSTRATION

THE IDOLM@STER
MILLION LIVE!
THEATER DAYS

ANTHOLOGY

ILLUSTRATION

107

illustration by

힐링

illustration by
타하라에무

THE IDOLM@STER
MILLION LIVE!
THEATER DAYS

ANTHOLOGY

ILLUSTRATION

THE IDOLM@STER
MILLION LIVE!
THEATER DAYS

ANTHOLOGY
ILLUSTRATION

109

illustration by
코모레

illustration by
코마도리

THE IDOLM@STER
MILLION LIVE!
THEATER DAYS

ANTHOLOGY

ILLUSTRATION

110

THE IDOL M@STER
MILLION LIVE!
THEATER DAYS

ANTHOLOGY
ILLUSTRATION

111

illustration by
세르게이

1년만에 실현!

첫 야외 라이브!

작년에 피우지못했던 불꽃을
재연소!!!

신난다—!

정말 Thank You!

THE IDOLM@STER MILLION LIVE! 7th LIVE

Q@MP FLYER!!! Reburn

무한한 하늘에 몇 번이고 반짝이는 첫 단독 야외 개최

간단 라이브 리포트 vol.5 글·그림: 칼로리냥

그러면 간다!!
가 아니라 갑니다
예요?

빙글빙글

프로듀서—
예~이!!

프로듀서—
서—.

평안하신가요

그 라이브로부터 반년이 지났는데, 여기서 다시 한번 그날의 뜨거운 기분을 재연소해봅시다!
렛츠 Q@MP FLYER!!! Reburn!

수고 많으십니다! 프로듀서 여러분, 올해 5월에 후지큐 하이랜드 코니파 포레스트에서 개최한 7thLIVE는 보셨나요?

그렇게 해서 지금부터가 라이브 리포트 본편입니다. 지난번 리포트 이후로 많은 일들이 있었지만, 기본적으로는 7thLIVE를 메인으로 삼은 내용입니다. 잘 부탁드리겠습니다.
일단은 FUJIYAMA는 탔습니다. 요시다 우동도 먹었습니다!!!

★Flyers!!!
어느 타이밍을 라이브 시작점으로 삼을지는 의견이 나뉠 것 같습니다만, 저는 「Flyers!!!」의 노래가 시작되는 순간에 「정말로 7th라이브가 돌아왔구나!」라는 생각에 소름이 돋았습니다.

이건 환각이 아니야!
환각이 아니라고!!

★Legend Girls!!
지금까지 있을 것 같은데 없었던, 다 같이 부르는 「Legend Girls!!」.
세상에, 라이브에서 부른 건 5년만입니다, 5년만!

그런 레어곡이지만, 어째서 지금까지 이 곡으로 라이브를 시작하지 않았는지 궁금할 정도로, 가사가 정말 좋습니다.
다들 기다렸어요, 이 무대를.

★애니멀☆스테이션!
이번 라이브는 스테이지 가로 폭이 엄청나게 길고, 무대도 가로세로로 잔뜩 뻗어있었기 때문에, 연기자 분들이 아주 역동적으로 뛰어다니셨습니다. 연기자 여러분, 정말 고생이 많으셨습니다.
그리고, 곡 중반에 갑자기 바깥쪽 무대로 뛰쳐나가는 「애니멀☆스테이션!」이 정말 좋습니다! 아주 자유로워서 좋아요.

여러분~
모이세요~!

뿌우!!!

★Big 벌룬◎
가사 중에 「태양이 비치는 수면」 부분에서 척하고 손가락으로 태양을 가리키는 챠키(오가사와라 씨). 이 라이브 중에 하늘은 계속 흐린 상태였는데, 세상에! 이 순간에만 태양이 아주 잠깐 얼굴을 보여줬습니다! 야외 라이브 최고!

★Good-Sleep, Baby♡
「안녕히 주무세요…」라니, 정말로 무대 위에서 자버렸네?!
다음 곡이 끝날 때까지 계속 잤어?!

★꿈빛 트레인
푹 자버린 세 사람의 머리 위에 갑자기 나타난 모쵸(아사쿠라 씨)와 유우챠(카하라 씨). 캠핑에서 신나게 놀고 피곤해서 푹 잠들고, 그리고 그 꿈속에… 이라는 내용의 세트리스트. 각각 다른 곡일 텐데, 너무나 잘 이어진 것 같습니다.

DAY 1

★너만의 조각

2년 전 애니 ON 극장 카페, 「히메기미 킷샤」의 스페셜 토크쇼에서 이 곡을 신청했을 때,
「이 곡을 샤르샤로에 대입해서 들어보면, 에밀리가 마츠리한테 얘기하는 것 같은 가사처럼 들린다고
말해주신 분이 계셨는데」 같은 화제가 나왔었는데, 7thLIVE에서 실제로 듣게 되다니.

정말… 대단합니다 이 두 사람이 부르는 「너만의 조각」은….
리포트에서 이런 내용을 쓰면 안 된다고 생각하지만, 정말 말로 표현할 수가 없습니다….
감정이 과도할 정도로 넘쳐나면 그저 「뭐야 이거」 「좋다」 「전부 좋다」라는 말밖에
못 하게 돼버립니다…. 너무 좋아서, 아카이브 스트리밍에서도
몇 번이고 몇 번이고 몇 번이고 봤습니다.

★Super Duper

이쪽도 반복해서 봤던 곡 중에 하나. 이 「Super Duper」는 지금까지 밀리시타에
없었던 것 같은 곡조인 데다, 댄스도 아주 역동적이었습니다. 세세한 손동작
같은 것도 너무 다채로워서 전부 챙겨보기도 힘들 정도였지만,
그것도 아카이브 동영상 덕분에 나중에 천천히, 자세히 볼 수 있었습니다!
살았어요! 앞으로도 꼭 해주세요!!

★백화는 월하에 져버리거늘

밀리시타 감사제 2019에서 세 명의 부채 놀림도 정말 훌륭했지만,
7thLIVE에서는 두 손에 부채를 든 댄서분들까지 잔뜩 추가되면서
훨씬 화려해졌습니다. 여기까지 왔으면 다음에는 당연히 십육야
라디아타 의상을 입고서 노래를 불러야겠죠! 그리고 뭐냐,
나중에 보고 싶은 건… 츠무기의 수리검,
에밀리의 미즈구모, 토모카의 마비술….

★Do the IDOL!! ~단암절벽 츄파카브라~

우와, 저는 이런 것도 정말 좋아합니다! 다 같이 녹색의 뭔가를 들어 올리고 휘두르면서 노래하는 풍경은 다른 곳에서는
볼 수 없을 테고, 밀리언 라이브!의 곡이 300곡 정도는 되니까, 한 곡 정도는 이런 것도 있는 쪽이 되레 자연스러운 것도
같고 말이요! 그리고 또, 다른 건… 출연자분들도 하나같이 즐겁게 노래했고요!

★기다림의 Lacrima
「Big 벌룬◎」에서도 썼지만, 라이브 후반에 들어섰는데도 하늘은 여전히 회색.
하지만 이 곡에서는 그게 또 곡 내용과 잘 맞아서, 정말로 야외 라이브 최고~!!

환상적인 곡에 맞춰서 랜턴을 줄지어 놓는 장면.
이런 차분한 시간이 흘러가는 것도 캠핑의 한 장면 같은 게, 정말 얄미웠습니다.

★유성군
이, 이건! 모모코 아씨와 줄리아(와타나베 케이코 씨와 아이미 씨)의
「유성군」…! 캠프파이어 앞에서 기타를 치면서 부르는 버전…!
이건 정말 한 방 먹었네요, 이런 데서 보게 되리라고는
상상도 못 했습니다…! (정말로)

그리고 이 모모코 아씨의 유성군, 2016년에 개최했던 TA02의
발매 이벤트(야간부)에서도 아주 조금이지만 불렀던 적이 있었습니다.

그 뒤로 4년 반, 설마 풀 버전, 그것도 이런 큰 무대에서
듣게 되는 날이 올 줄이야….

★STANDING ALIVE
「가만히 서 있는 것처럼 보여도, 필사적으로 지금 '세계'를 지탱하고 있다」
예전에 MUSIC ON THE RADIO에서 언급해서 화제가 됐던 이 곡,
분명히 놀라울 정도로 가사가 지금 이 시대와 잘 맞았습니다.
저희 프로듀서도 필사적으로 세상을 지탱하고 있죠….

★Glow Map
곡이 진행되면서 한없이, 끝도 없이 달아오르는,
밀리시타 3주년 기념으로 제작한 곡.

지난 일 년 동안 정말 많은 일이
있었습니다. 많은 곤란을 뛰어넘어,
7thLIVE도 1년을 미뤄서
다시 하게 됐습니다.

그리고 맞이한 이 「Glow Map」,
곡도 가사도 무대에서 흘러나오는
빛의 연출도, 그 빛을 받은
출연자분들도,
모든 것들이 역대 최고로 반짝였습니다.
시야 한가득, 최대 출력으로
빛나고 있었습니다!
후지산 기슭을 밀리언 스타즈가
반짝반짝 빛나게 만들었습니다!!!

←그밖에 DAY1에서 인상적이었던 마지막 MC 등

달이 아름 답네요!

여러분의 뜨거운 영혼인가 하는 것의 불꽃 입니다.

그리고 7thLIVE 이틀째 리포트!
라이브 이틀째는 아침부터 아주 맑아서,
라이브 하기 딱 좋은 날씨였습니다!
신난다~!!

DAY2!

★Flyers!!!
이제 와서 하는 얘긴데, 이번 라이브에서는 곳곳에 캠프파이어가 설치되어 있었고,
DAY1은 코로아즈(타도코로 씨)가, DAY2는 뽕 씨(야마자키 씨)가 센터 스테이지
중앙에 불을 붙이는 역할을 담당했습니다.
불을 붙이면서 시작하는 라이브는 최고네요~!!

★정글☆파티
아주 익숙한 그 곡, 이지만 혹시 이번이
첫 목소리고 NG 정글☆파티인가요?!
이건 아무래도 재연소가 필요하겠네요.
8thLIVE에서 리벤지 했으면 좋겠습니다!

★마이 페이스☆마이 웨이
말 그대로 마이 페이스&마이 웨이한 페어로 노리코의 솔로곡.
이번 라이브는 반가운 곡들이 많았고,
솔로곡을 여러 사람이 부르는 등의 연출 덕분에,
프로듀서 여러분도 상당히 만족하셨을 것 같아요.
그만큼 출연자분들은 할 일이 많아서 힘드셨을 것 같지만.

★절대적 Performer
이 곡도 소리를 내고 싶어도 못 냈습니다! 그 대신 열심히 손을 들고서 On・The・Wave!!
하지만 소리를 못 지르는 라이브인데, 어째서 이렇게 유혹이 강한 세트리스트일까요?!

그리고 이 곡과 종반에 「Raise the FLAG」의 아유무 파트너에서는
마나나 씨(하마자키 씨)가 이번에 어쩔 수 없이 쉽게 된
아유무 역의 토다 군(토다 씨)와 비슷한 방법으로 노래를 부른 것 같은데,
그것도 7thLIVE에서 손꼽히는 다이아몬드 포인트 직격 부분이었습니다.

예? 다이아몬드 포인트가 뭐냐고요?
말 그대로 다이아몬드 포인트입니다.

이. 일. 심.

동체!?

★빅뱅즈 발리볼!!!!!
개인적으로 DAY2에서 가장 큰 서프라이즈.
이번에 노래한 미라이와 로코는 분명히
초 비치발리볼 부원이지만,
동시에 투표 2위 페어잖아요…!

「일심동체!」를 머뭇거리는 아츠키 씨(나카무라 씨)와
왠지 바보같은 분위기의 뽕 씨 등,
노래하는 분도 두 사람의
역할에 맞게 어레인지해서 도저히
흠잡을 곳 없이 훌륭한,
그리고 귀여운 2위
페어 발리볼!!!!!이었습니다.

이런 어나더 버전?
다른 곡에서도 기대할게요!

…

★Do the IDOL!! ~단암절벽 츄파카브라~
DAY1에서는 중간부터 노래에 참가했던 멤버들만 츄파카브라를 들고 있었지만,
DAY2에서는 처음에 노래하는 멤버들도 어깨띠를 걸고 츄파카브라를 장착.
츄파카브라에 대한 고집은 대체….
그런데 저희집에도 이 츄파카브라 인형 있습니다. 크고 작은 거 합쳐서 4마리.

그러고 보니 무대 위에 냄비,
계속 신경 쓰였는데 MC 중간에
열어주셔서 정말 고마웠습니다.
근데, 뭐가 들어 있었던 거죠…?!

★오렌지색 하늘 아래
이날, 정말 맑아서 다행이었습니다…
그 오렌지색 하늘 아래에서 「오렌지색 하늘 아래」를 들었던 기억,
나이 들어서도 계속 얘기하고 싶네요.

★인빈시블 저스티스
츠바사&우미, 츠바사&유리코 페어를 거쳐서 드디어 Machico 씨,
믹쿠(이토 씨), 우에샤마(우에다 씨) 세 명이 모인 「인빈시블 저스티스」.
츠바사&유리코 버전은 밀리시타 감사제 2019~2020 이후에 밀리시타에 실장됐는데,
이번에 세 사람이 부른 버전도 기대해도 될까요? 기대할 겁니다?!

★dans l'obscurité

이번에는 윳케 씨(사이토 씨)가 쉬신 덕분에, 책임이 중대한 마지막의 스바루 파트는 4명이 다 같이 불러서 커버. 그런데 이 곡, 왜 마지막 마무리를 스바루 한 사람한테 맡긴 걸까요. 세계관을 이해하는데 가장 고생한 스바루한테 그걸 맡긴 건, 유리코 나름대로 생각이 있어서?(†고찰 중†. 답은 나오지 않았음)

그리고 이런 종반에서 이 이야기를 하는 건 너무 늦은 것 같지만, 이번에 출연자분들이 입었던 판초 의상, 치마 길이가 유난히 길다 보니 간주 부분에서 빙글 도는 데라든지, 실루엣이 정말 예쁘지 않았나요?

돌아주세요~ 라고 부탁하지 않아도 빙글빙글 돌아주는 「dans l'obscurité」 좋아요.

★Cherry Colored Love

아직 해가지지 않은 밝은 시간대부터 캠핑을 테마로 삼은 무대 위에서 판초를 입은 두 사람이 재즈풍 곡을?! 하지만 괜찮아요, 리카 언니(야마구치 씨)와 타카미나(타카하시 씨)는 그런 조건에서도 공연장을 반짝반짝 섹시한 분위기로 바꿔주셨습니다.

그런데 이 곡은 실내 공연장에서도 또 듣고 싶네요!

그런데 신기한 이벤트 스토리였죠… Sherry'n Cherry… 애리조나주의 섹시 비스트, 또 나와주지 않으려나…

★몇 번이고 웃자

이번 밀리언 스타즈가 선두를 맡아서 관객들에서 선보인, 아이돌마스터 시리즈 15주년 기념곡. 말로는 아무리 웃자고 해도 웃으려면 나름대로 에너지가 필요하고, 그리고 감정적으로도 여유가 있을 때 비로소 진심으로 웃을 수 있는데, 이렇게 무사히 7thLIVE Q@MP FLYER!!! Reburn이 개최되고, 마지막의 마지막에 자신들의 극장 아이돌들이 부르는 이 노래를 들었더니 「그러고 보니 이제야 에너지랑 기분을 보충했네」 같은 기분이 들었습니다. 너무 멀리 돌아가는 표현 같죠, 죄송합니다.

★Thank You!

리포트 마지막은 당일 세트 리스트와 마찬가지로 「Thank You!」.
정말 고맙다는 말밖에 한 말이 없습니다. 나오 풍으로 말하자면 감사감사감사, 무지 감사~!입니다.

솔직히 작년 4월에 중지 발표 이후로, 7thLIVE Q@MP FLYER!!!는 완전히 포기하고 있습니다.
언젠가 다시 라이브를, 이라고 생각하고는 있어도 그것이 현실이 되기는 힘들 것 같은 정보들이 계속 이어지고,
마침내 사람들은 존재하지 않았던 7thLIVE의 기억을 만들어내서, 「7thLIVE 재미있었지」 라든지 「불꽃놀이가 참 예뻤어」
같은 코멘트를 하면서 상처를 치유하고 있었습니다. 뭐, 완전히 치유하진 못했지만.

그리고 그대로 밀리시타 3주년을 맞이해서 지난 일을 돌아보고 이런저런 발표를 하면서 새로운 해가 밝았고,
「밀리시타 새해 생방송 2021년도 밀리시타입니다♪」에서 7thLIVE Q@MP FLYER!!! Reburn을 발표.
먼저 여기서 깊이깊이 감사드립니다. 같은 곳에서 같은 테마로 다시 한 번 하다니, 정말 엄청나게 고생하셨겠죠.

그리고 작년에는 피우지 못했던 불꽃을 올해야말로 피워 보이겠다고 말씀해주신 코미노P,
그리고 그 뒤에도 계속된 곤란을 뛰어넘어서 어떻게든 관객들이 들어오는 라이브를
개최하게 만들어 주신 스태프 여러분, 출연자 여러분 등등, 모든 분들께 그저 감사할 따름입니다.
여러분 덕분에 라이브의 불꽃은 물론이고,
많은 프로듀서의 마음도 다시 불사를 수 있었습니다(아마도).

그래서 이렇게 2/3 페이지 정도를 써서 감사하는 마음을 표현해봤습니다.

밀리언 라이브!의 첫 테마곡이 「Thank You!」라는 건, 정말 좋네요!

밀리언 스타즈 첫 단독 야외 라이브, 처음 보는 경치를 잔~뜩 볼 수 있었습니다. 푸른 하늘과 저녁노을과 밤하늘, 태양과 달과 하늘까지 펼쳐지는 다양한 빛, 그리고 그런 드넓은 하늘을 물들이는 불꽃! 여러분은 어떤 경치가 기억에 남으셨나요?
다음 라이브도 무사히 개최할 수 있도록, 다시 한번 다 같이 꿈을 이어가봐요!

이상! 7thLIVE 라이브 리포트였습니다!!

저 아키즈키 리츠코가 극장 아이돌들을 여러분께 소개해드릴게요!

이달의 「아이그라!!」는 765프로 라이브 시어터 특집!

아키즈키 리츠코
Ritsuko Akizuki

■무대 뒤쪽에서

마침 좋은 기회니까 살짝 보도록 할까요

오늘은 텐쿠바시 토모카의 공연이 있는 날이네요!

알겠나요~
아기 돼지들~?

여신의
말씀은
절대적
이랍니다~?

...오늘
스테이지는
조~~금
특수한 것
같기도
하네요

콰
앙

아~주
진지한 곳
이에요~

달캉

여기는
보통 중요한
미팅을 하는 곳
이랍니다

다, 다음은
대기실을
소개할게요

멈춫

시죠 타카네
TAKANE-SHIJOU

마카베 미즈키
MIZUKI MAKABE

줄리아
JULIA

콰앙

잠깐만
기다려
주세요~

실례
했습니다~

들어
오세요

미리
얘기한 대로
하란 말이야—

오늘
취재
온다고
했잖아!

지금
뭐 하는
거야?!

굴쾅

우당탕탕

예,
이래야죠

오늘도
예쁘시네요

별일
없으신가요

어머나
리츠코 씨

대본

마지막으로
특별히,
비밀 장소를
가르쳐
드릴게요

바로
이 옥상!

여기서
보는 경치는
정말 최고예요!

앗

후타미 아미
AMI FUTAMI
나가요시 스바루
SUBARU NAGAYOSHI

토~옹

왜, 왜 그래
히나타.
죽을상을 하고

크크크크
큰일 났어
~~~!

후다

다다닥

귀, 귀신
정도는
내가 쓰러트려
줄게!

이, 일단
진정하자!

귀신?!
어, 어쩌죠
마코토 씨!

귀,
귀신이
나왔어!

슥

아유무 씨는 토핑 아이디어를 부탁할게!

괜찮아. 팬케이크라면 이쿠랑 자주 만들었으니까 어떻게든 될 거야

모모코

난 요리 잘 못하는데…

타다닥

좋았어! 아메리칸하게 화끈한 걸로 생각해볼게!

아메리칸…?

그래, 나한테 맡겨!

팬케이크래! 레온, 열심히 해보자!

그리고
프라이팬도
특별 주문하는 게
좋으려나

녹화 시간 안에
준비 될까…

타다다닥

최고급
달걀이랑
우유, 박력분
부탁해

응, 나야

그럼 양쪽이
만든 팬케이크를
공주님께
선물해주세요!

타임
업!

우리
팬케이크는
개성으로
승부야!

먼저 765
팀부터!

짜

안

팬케이크
인데…

…햄버거
인가요?

이어서
961팀!

아메리칸하게
빅한 느낌이지